빛나는 생각과
고단한 일상 사이

정치가 머무는 곳

빛나는 생각과
고단한 일상 사이

정치가 머무는 곳

발　　　행　　　초판 1쇄 인쇄 2019년 11월 25일
　　　　　　　　초판 1쇄 발행 2019년 12월　1일

지　은　이　　박성현
발　행　인　　임규찬

표지 디자인　　에프스튜디오
편　　　집　　이진호 조종우
인　　　쇄　　유신인쇄

펴　낸　곳　　도서출판 함향
주　　　소　　부산시 동래구 명륜로69, 상가1001호
출 판 등 록　　2018년 7월 26일 제018-000007호
전　　　화　　051-808-6951
팩　　　스　　051-817-9847
메　　　일　　phil8741@naver.com

ISBN 979-11-964532-1-3　03800

이 도서의 국립중앙도서관 출판예정도서목록(CIP)은 서지정보유통지원시스템
홈페이지(http://seoji.nl.go.kr)와 국가자료종합목록 구축시스템(http://kolis-
net.nl.go.kr)에서 이용하실 수 있습니다.

(CIP제어번호 : CIP2019046534)

박성현 에세이

빛나는 생각과
고단한 일상 사이

정치가 머무는 곳

서 문

 생업의 현장은 거칠고 혹독하다. 하루하루 고단하고 불안하고 억울하다. 어릴 때 아버지의 어깨는 언제나 넓고 당당했다. 몸이 자라서 아버지보다 키가 커지고 하릴없이 가방 끈까지 길어지면서 아버지 말씀은 그저 귓가를 지나갈 뿐이었다. 그러다 가장이 되고 전쟁 같은 하루를 보낸 어느 밤늦은 귀갓길, 조용한 골목길에서 아버지의 세월이 가슴으로 다가왔다. 가로등 불빛은 눈물에 뿌옇게 번지다 이내 흔들리고 나는 무거운 고개를 들 수 없었다.

 어차피 피할 수 없는 삶이라면 최전선에 서겠다고 마음먹었다. 수주와 개발부터 부품조달과 양산, 납품과 수금, 자금과 투자까지. 어느 한 구비, 한 고개도 절로 넘을 수 없는 것이 공장의 일이다. 인간과 제도, 세상과 시간, 좌절과 희망, 고민과 결단, 그리고 공익과 사익이 얽힌 현장에서 희로애락이든 사단칠정(四端七情)이든 목구멍까지 차오르는 버거움은 꾹꾹 삼켜야 했다.
 매일 밤 통나무처럼 쓰러져 잠들고, 매일 새벽이면 다시 시작하는 현장에서 심지 굳은 인생과 도전하는 삶을 배웠다. 치열하게 도전하면 할수록 더 나은 세상을 향한 단서를 찾을 수 있다는 것도 알았다.

"이런 고된 사업을 왜 합니까?" 질문했다.

"망하지 않으려고." 돌아온 대답은 간단했지만 무거웠다. 무거움을 덜어주려는 듯 한마디 덧붙였다.

"언젠가는 망할 텐데, 하루라도 늦게 망하려고."

이 시간에도 수많은 기업들의 흥망성쇠는 계속된다. 시장(市場)에 숙명이 있다면, 그것은 기업은 언젠가는 망할 수밖에 없다는 것이다. 2009년 쌍용자동차 대주주가 철수하고 공장 문을 닫았다. 말하자면 망했다. 해고가 이어졌고 노동자들은 파업으로 맞섰다. 그때 해고자들의 외침이 우리 사회에 던진 메시지는 강렬했다.

'해고는 살인이다.'

공장에서 버티는 노동자들을 체포한다고 했고, 경찰은 전투 같은 진압작전을 펼쳤다. 뉴스와 방송은 생중계했다.

누군가의 가장이고 아들이고 어머니인 사람들의 절박함이 오래 뇌리에 남았다. 그렇다. 기업은 망하면 안 된다. 절대로. 부지런한 기업인은 단 하루라도 늦게 망하려고 애쓴다. 그런데 기업의 흥망성쇠는 시장의 숙명인 것을 어찌하나. 시장의 숙명이 노동자들에게 살인과 같은 결과를 가져오고, 살겠다는 절박함이 다시 사생결단의 분쟁으로 이어지는 일들이 반복된다. 이 문명국가, 1인당 GDP가 3만 달러에 달하던 나라에서 말이다. 수치스러웠다. 자괴감을 넘어 분노가 일었다.

한 알의 모래에서 세상을 보며, 한 송이 들꽃에서 천국을 보라는 시인의 통찰력은 없지만, 제조업 현장의 앵글로 우리 공동체의 문제를 보고 미래를 그릴 수 있었다. 우리 공동체는 하루라도 늦게 망하겠다는 부지런한 기업을 돕고 응원해야 한다. 우리 공동체는 실업이 곧 죽음의 위기가 되는 사회를 방치해서는 안된다. 이 두 개의 명제는 우리 모두의 문제이고 지금 여기, 정치가 답해야 하는 문제다.

삶의 보람은 일신우일신(日新又日新)에 있다고 믿는다. 평범해 보이는 말이지만 해내기는 어려운 일이다. 나이가 들면 스스로 새로워지기 더욱 어렵다. 하물며 우리 공동체의 혁신을 만들어가는 일이 어찌 만만할 수 있겠는가. 그러나 혁신하지 않으면 정체되고 정체되면 녹슨다.

우리 삶의 터전은 도시다. 도시가 정체되고 녹슬면 삶이 어려워지고, 젊은이들은 떠난다. 더 이상 고향을 정체되고 떠나는 도시, 녹슨 도시로 남겨둘 수 없다. 젊은이들이 모이고 아이들의 웃음소리로 생기 도는 마을을 만들어야 한다. 고도(古都)의 고분과 성곽에서도 얼마든지 혁신이 싹트고 시작될 수 있다. 역동하는 젊은 도시가 우리의 미래다. 정체된 도시에 혁신의 희망을 제시하고 공동체의 협력을 이끌어야 한다. 정치가 할 일이다. 나는 학자가 아니다. 독서에서 엄밀한 논리와 이론을 구하지도 않는다. 삶의 최전선에 서고 싶었고, 한국경제의 마지막 버팀목인 제조업 현장을 공부할 수 있었다. 다행이었다. 하루라도 늦게 망하겠다는 기업의 운명을 깊이 공감하고 사색할 수밖에 없었다. 문제의 해답을 직관할 수 없는 아둔함 때문에 책을 읽고 길을 물었다. 책 속에는 빛나는 문장, 빛나는 생각이 있었다. 하지만 고단한 삶의 현장에 있는 사람에게 책이 문제의 답을 준다는 것은 어불성설이다. 사유의 계기를 줄 뿐이다. 답은 다시 현장의 고투 속에서 찾아야 한다.

기업혁신의 현장을 떠나 이제 정치 현장에 섰다. 정치는 또 다른 삶의 현장이다. 다만 많은 사람의 삶과 공동체의 운명에 변화를 만들 수 있는 현장이다. 나는 열망한다. 우리 공동체가 더욱 번영하고 함께 잘 살기를. 또 어느 누구도 자기의 존엄성을 쉽게 포기하지 않는 세상을.

독서 에세이다. 책을 건성으로 읽고 밑줄 치거나 맘대로 끄적거렸다. 그런 메모를 모아 책을 내니 독자들에게 친절한 책은 아니다. 1장에서 5장까지 책 속의 문장과 에세이를 나누어 실었다. 어떤 주제의 엄선이나 일관성을 기대할 수는 없다.
다만, 스스로 나의 정치에 어떤 사명을 부여하고 있는지, 그리고 그것에 대해 어떤 고민과 사색을 해왔는지 짐작할 수는 있을 것이다.

1장. 정치는 좋은 제도를 만드는 것이다. 좋은 제도가 문제를 해결한다. 먼저 스웨덴 케이스를 생각한다. 잘 알려진 이야기지만, 스웨덴 경제의 강점은 세계 최고 수준의 산업경쟁력에 있다. 시장에 의한 구조조정이 자연스럽게 일어나기 때문이다. '해고는 살인'이라는 식의 구호는 없다. 분쟁과 사회적 비용도 없다. 놀랍다. 그 이유는 무엇일까, 어떤 제도적 설계가 있는 것일까 생각한다.

2장. 정치는 희망을 설득하는 것이다. 희망은 언제나 옳다. 세상은 빠르게 변하지만 방향을 몰라 어지럽고, 여전히 고단하고 불안한 우리 일상은 변할 것 같지 않다. 누군가 희망을 말해야 한다면, 그리고 그 희망에 공동체의 열정을 모아야 한다면, 정치가 그것을 해야 한다. 최근 미국에서 1대99 사회에 도전장을 낸 앤드류 양의 자유배당금 공약과 기본소득 이야기, 그리고 영국 산업혁명기에 협동조합과 마을 공동체를 성공시킨 로버트 오언의 이야기는 혁신의 열정을 일깨운다. 우리가 찾는 청년 사회혁신가의 모델이다.

3장. 정치는 협력을 잘 이끌어내는 것이다. 유발 하라리는 사피엔스가 지구를 점령한 가장 큰 이유를 대규모 협력이 가능했다는 것에서 찾았다. 기초 한국어 사전에는 사람이 무리를 지어 사는 집단을 사회라고 정의한다. 함께 살기 위해서 서로 소통하고 배려하고 협력해야 한다. 협력의 힘은 강렬한 것이지만 비협력의 유혹도 못지 않다. 죄수의 딜레마가 저열한 이기주의의 손을 들었다면, 인간은 결국 협력의 진화를 통해 딜레마에서 탈출할 수 있다는 희망을 본다. 갑과 을, 을과 을의 다툼이 끊임없이 터져 나오는 이 시간에 누가 어떻게 이들의 소통과 배려와 협력을 도울 것인가.

4장. 정치는 함께 잘 사는 것이다. 잘 사는 것. 인간의 변함없는 욕구다. 공동체의 일부가 빈곤 때문에 학교를 못 가거나 병원에 못 간다면 우리는 무엇으로 잘 산다고 말할 수 있을까. 그래서 함께 잘 사는 것이다. 양극화를 극복하려는 노력들이 다양하다. 일자리가 사라지는 시대다. 빈곤의 극단을 해결하는 것은 노동의 윤리가 아닌 실질적 자유의 윤리로 접근해야 한다. 빈곤이 인간을 억압하는 양상에서부터 다시 발전의 의미를 되새겨 본다. 인간이 자유로워지는 발전, 인간의 역량이 커지는 발전. 그 길을 찾아야 한다.

5장. 정치는 존중과 헌신이다. 사람에 대한 존중 없이는 아무것도 이루지 못한다. 무신불립(無信不立) 믿음은 곧 존중이다. 구동존이(求同存異) 다름도 존중해야 한다. 존중은 정치의 시작이다. 또 모든 업(業)은 그 본(本)이 있다. 정치업은 무한한 헌신이 업의 본이다. 누군가 내 이름을 잘못 불러준 일이 있었다. 나는 이렇게 말했다.
"사업 파트너의 이름을 잘못 부른 것은 실례지만, 정치인의 이름을 잘못 부른 것은 그 사람의 책임이 아니다. 이름이 가슴에 남을 만큼 헌신하지 않은 정치인의 책임이다."

정치업의 본이 무한 헌신이라면 정치적 책임은 무한 책임이다.

두서없고 덜 익은 글발들이 부끄럽다. 책이 나오기까지 도와주신 분들께 고마운 마음을 전한다. 무엇보다 책장을 넘기는 독자들께 미리 미안하고 감사하다.

2019년 11월 10일 새벽
동래혁신포럼 사무실에서
박성현 올림

나이 들어 젊어졌다

−프리드리히 니체

목 차

좋은 제도가 문제를 해결한다.

시대는 이념이 아니라 문제 해결이다.

좋은 제도를 만드는 일은 희생적인 일이 아니다.

좋은 제도는 그 혜택을 나 역시 누리기에, 좋은 제도는 호혜적이다.

좋은 제도를 키우고, 그 제도가 크는 만큼 정치인도 함께 크는 것이 순리라 생각한다.

정치는 결국 좋은 제도를 만드는 것이다.

1장

정치는
좋은 제도를
만드는 것이다

1. 좋은 제도는 문제를 해결한다

「비그포르스, 복지 국가와 잠정적 유토피아」홍기빈

−빛나는 생각

비그포르스 : 1932년부터 1949년까지 사민당의 재무
상. 스웨덴 사민당의 경제정책과 사회정책을 집대성.
비그포르스는 20세기 세계 사회민주주의 운동 전체에서 거
의 유일하게 성공적인 결과를 낳은 이론적, 실천적 혁신을 이
룬 인물이다.

노동 계급의 실질 임금이 저하하면서 궁핍화가 진행되기는
커녕 실질 임금이 꾸준히 상승함으로써 마르크스주의는 허구
화되었다. 역사적 유물론은 결코 경험적으로 입증될 수 없으
며 필연적으로 작동하는 과학 법칙도 아니다.

비그포르스는 마르크스주의니 계급노선이니 하는 것을 폐
기하고 사람들의 상식과 올바른 감정에 호소하여 일반 시민
들의 이성과 정의감을 불러일으키는 방식을 취해야 한다고
주장했다.

궁극적 유토피아를 제시할 수 없다면 최소한 잠정적 유토피
아라도 내거는 것이 사회민주당의 임무라 보았다. 그것은 노
동자와 근로 대중이 처한 사회 경제적 현실에서 출발하여 그
들이 마음속에서 간절히 열망하는 윤리적 이상을 추출해 모
든 사회 성원의 동의를 얻은 가운데, 그러한 윤리적 이상을
담은 사회의 모습을 최대한 구체적으로 최대한 총체적으로
만들어 제시하는 것이다.

1919년 예테보리 강령

적극적인 노동시장 정책을 통한 일자리 보장, 노동시간 단축, 연간 2주간 유급휴가 법제화, 더 높은 액수의 고령연금, 전국 단위의 의료보험, 출산과 양육수당, 유족연금, 주택건설의 공공지원, 압도적으로 누진적인 상속세와 소득세, 자본 과세, 은행과 보험회사의 사회화, 산업 현장에서의 강력한 노동자 경영참여.

비그포르스는 노동 계급과 사민당이 분배의 문제뿐만 아니라 생산의 문제, 그것도 자본주의적 생산에 일익을 담당하여 높은 효율성과 생산성이 유지될 수 있도록 참여를 주장했다. 그의 산업 민주주의는 생산성 향상을 위해 노사가 적극적으로 협조하는 가운데 노동 측이 경영에 참여하는 공동 결정의 구상에 가까운 것이다. 그는 협력과 상생의 정신 위에서 민주주의의 원칙을 확립하는 것이 왜 모두에게 유리한지를 설파했다.

입법을 통해 기업주가 고용 계약을 마음대로 좌우하는 권리를 크게 제한한다든가 강력한 산업 정책을 통해 기업주의 투자 전략과 방향에 대해 국가가 강력한 영향력을 행사한다든가 하는 식을 제시했다.

경제와 사회에 대한 자본 권력의 전횡을 효과적으로 견제하고 생산 현장에서의 노동자들의 적극적인 참여를 통해 산업의 효율성, 생산성을 제고하면서 노동자의 사회적 지위를 고양하는 미래 지향적 산업사회를 창출하는 것, 이것이 사회민주주의적 경제의 전망이라 할 수 있다.

다수의 대중이 현실적으로 원하는 것에서 출발해야 하며 그것을 찾아낸 뒤에는 흔들리지 않고 한목소리로 그것을 외치는 힘 있는 정당이 있어야 한다.
 그는 계급 대신에 민중 일반을, 계급투쟁 대신에 협력과 협조를 강조하는 정치 노선을 강조했다.

 페르 알빈 한손의 국민의 집
 국가는 모든 국민이 행복을 누릴 수 있는 집이 되어야 한다. 가정의 기초는 함께한다는 것 그리고 감정을 함께 나눈다는 것이다. 좋은 가정이란 언제나 평등, 배려, 협조, 도움이 가득한 곳이다. 서로 협력하고 점진적인 개혁을 통해 자신들의 삶을 더 살기 좋게 만드는 주체는 바로 민중들 자신이다. 정당의 테두리를 넘어서 다른 당과 초당적으로 협력하는 것은 너무나 당연한 것이다. 우리는 타협해야만 한다. 하지만 우리 자신의 규율 있는 관점을 포기해서는 안 된다. 그 반대다.
 우리가 스스로 우리의 이념적 확신을 굳건히 하는 것이야말로 다른 당과 타협을 이룰 수 있는 전제 조건이다. 혁신적 아이디어를 제시하는 것만으로는 충분하지 않다. 그것을 어떤 순서로 어떻게 실현해나갈 것인지에 대해 잘 짜인 계획을 마련하지 못하면 대중에게 들고 나갈 생각을 하지 말아야 한다.

 스웨덴 복지 국가의 두 축인 경제정책과 사회복지정책의 틀을 잡은 두 인물은 비그포르스와 묄레르라 할 수 있다. 출중한 대중 정치인 한손을 정점으로 이론과 실무 모두에서 출중한 정책 전문가였던 비그포르스와 묄레르 등이 하나로 뭉쳤던 것이 유례없는 성공의 비밀이었을 것이다.

당의 경제 정책은 그것이 어떤 것이든 사람들이 일상생활에서 몸으로 느낄 수 있는 것이어야 한다.

사회민주당이 내건 경제정책은 시장경제가 고장내버린 경제의 메커니즘을 다시 사람의 경제를 위해 작동할 수 있도록 회복하는 보편적인 정책이다.

1938년 LO와 SAF는 스톡홀름 인근의 휴양지 살트셰바덴에서 역사적인 노사대타협 협약을 맺었다.

스웨덴의 개혁은 끊임없는 시행착오와 설득과 합의와 좌충우돌을 거치면서 점진적으로 이루어진 것이었다. 자본 측은 자신들도 거기에 참여하고 협조하는 것이 도움이 된다는 것을 깨닫게 되었다.

전후강령 − 완전 고용, 사회복지 정책, 민간 경제의 효율성 생산성과 효율성을 높이지 않고는 사회민주주의 경제의 이상을 결코 달성할 수 없으며, 또 완전고용과 사회복지의 향상이야말로 생산성 향상의 중대한 조건이다.

비그포르스 추모식(엘란데르 전총리)
사람들은 그가 내놓은 여러 정책이 사회를 파멸로 이끌 것이라고 두려워하고 불안해했습니다. 오늘날 비그포르스의 여러 아이디어와 비전은 우리 사회를 떠받치는 기둥이 되어 있고, 우리는 그 위에서 함께 사회를 만들어가고 있습니다.

회프팅의 복지 원리
인간의 감정은 다른 모든 이들의 행복에 민감할 수밖에 없는 것이기에, 실제 인간의 윤리적 판단에 있어서도 기초가 되는 것은 나 개인의 생각과 감정이 아니라 내 가족, 내 공동체와 민족, 나아가 인류 전체의 행복이 어떠한가, 즉 모두 잘 살 수 있는가에 대한 고려다.

유토피아는 현재 우리가 처한 현실의, 또 미래의 다른 모델들이 상상 가능한 대안으로써 제시될 수 있을 만큼 충분히 구체적인 모양새로 전개되어야 한다.

사회개혁이 사회 전체에 대한 총체적인 계획과 고려를 전제로 하지 않는다면 심지어 아주 작아 보이는 하나의 개혁도 무리 없이 이루기 힘든 법이다.

비그포르스의 나라살림의 계획

사회 성원들 전체에게 인간적 존엄과 자유를 최대한 보장해주는 삶의 물질적 기초를 제공하기 위하여 사회 전체 차원에서 산업생산이 가장 합리적, 효율적으로 조직될 수 있도록 안배하는 모든 장치와 제도와 정책.

— 잘 모르는 나라, 스웨덴

2004년 아내와 두 살된 딸과 함께 미국에 갔다. 작은 아파트는 구했는데 살림살이는 한 번에 구하질 못하고 몇 달 동안 주말에 가정집 차고(garage) 세일이나 벼룩시장에서 중고가구를 하나씩 사서 모았다. 그러던 어느 날 아내가 대형 조립식 가구매장에 데리고 갔다. "너무 중고만 쓰지 말고 딸 책상은 새 것을 좀 사줍시다" 해서다. 파란색 창고건물에 노란색 글씨로 '이케아'(IKEA)라는 상호를 붙인 외관, 섹션별로 영리하고 재밌게 배치된 매장 디스플레이, 입구마다 쌓여 있는 종이 자와 몽당연필, 매장 안 식당의 미트—볼 냄새, 쉽게 조립되게 가공된 가볍고 단단한 나무판, 스웨덴어와 영어가 병기된 조립 설명서, 그리고 나무 냄새를 맡으며 약간의 수고로 조립한 가구를 놓고 흐뭇하던 기억.

이런 것들이 30대 후반의 내가 처음으로 느껴본 스웨덴의 전부였다. 물론 어려서 '아바'(ABBA)의 노래는 흥얼거렸지만 그냥 팝송이었을 뿐이고, 그 뒤 업계에 있으면서 바라본 '볼보'(VOLVO), '사브'(SAAB) 자동차 역시 이미 글로벌 기업이었다.

우리 나이로 올해 열 일곱살인 환경운동가 그레타 툰베리. 2018년 매주 금요일마다 등교거부 운동을 했다. 학교에 가지 않는 대신 스웨덴 의회가 기후 변화 해결을 위해 나서라며 의회 앞에서 시위를 벌였다. 세계적인 파장을 일으켜 100여개나라 100만명이 넘는 청소년들이 운동에 동참했다. 또 올해 9월말 뉴욕에서 열린 유엔 기후 변화 정상회의에 참석하기 위해 비행기가 아니라 돛단 배를 타고 대서양을 건너가 화제가 되기도 했다. 기후변화를 막겠다는 신념에 따라 이산화탄소를 배출하는 비행기를 타지 않았다고 한다. 최근에는 북유럽 5개국 협의기구인 북유럽이사회(Nordic Council)가 주는 올해의 환경상 수상을 거부하고, 인스타그램에 기후 운동을 위해 상이 필요하지 않다며 정치인들의 역할을 촉구하기도 했다.

그레타 툰베리는 최근에 언론을 통해 자주 접하는 스웨덴 이름이다. 고정관념에 사로잡힌 기성세대에게 날리는 유쾌한 한 방에 사람들이 주목한다. 그녀의 진정성 있는 호소가 기후변화 환경운동에 새로운 힘을 주고 있다. 물론 알프레드 노벨만큼의 인지도는 아니지만 놀라운 스웨덴 소녀로 관심이 높아지고 있다. 환경과 아이들 교육에 열정적인 사람들 사이에서 요즘 툰베리는 대화의 키워드다. 방송에서는 우리 교육환경에서 저런 청소년이 나올 수 있을까 묻기도 한다. 스웨덴을 포함한 북유럽 3국은 국가경쟁력 평가와 교육 경쟁력 평가에서 항상 세계 최상위권이다.

그것 말고는, 오랫동안 스웨덴은 너무 먼 나라라고 서로 잘 알지 못하는 나라였다. 우리나라에서 스웨덴이 주목받은 지는 얼마 안된다. 대중적 관심은 북유럽풍이라는 유행일 수도 있지만 소박한 미감의 일상 가구와 도구들,

여유롭고도 윤택한 삶, 수준 높은 문화와 복지국가 국민으로서 높은 삶의 만족도, 그리고 북유럽 자연이 주는 청정한 환경에 대한 동경 같은 것으로 시작되었을 것이다. 어느 나라나 실상의 깊숙한 곳에는 아픔도 있고 서러움도 있고 절망도 있을 것이다. 그렇지만 북유럽 복지와 포용적 성장을 선도해온 스웨덴의 경우를 탐구하고 그 경험에서 교훈을 찾으려는 정책가들의 노력이 축적되면서 우리가 배울 점이 많다고 알려졌다. 아직 북유럽엔 가보지도 않은 나도 그 덕분에 이제 스웨덴이 조금은 더 가깝게 느껴진다.

─세계경제 위기 극복의 기적

어느 나라나 그렇지만 '오늘'은 수많은 '과거'의 축적이다. 그 중에서 스웨덴의 현재를 만드는데 결정적인 역할을 한 사람, 변화의 방향을 잡은 사람, 변곡점에 서있던 두 사람이 있다. 페르 알빈 한손 전 총리와 에른스트 비그포르스 전 재무장관이다. 물론 모두 고인이다.

1930년대는 대공황의 시기다. 전 세계가 초유의 경제 파탄을 경험했다. 대공황은 결국 제2차 세계대전으로 탈출구를 찾을 수밖에 없었지만, 세계 경제는 거대한 전환을 맞게 된다. 세계대전 이후 미국은 자유주의 국가 진영의 원─탑으로 부상했다. 우리는 대공항을 극복한 모델 케이스로 미국의 뉴딜 정책을 배워서 잘 알고 있다.

다양한 방법으로 유효수요를 창출해 불황을 벗어나고 경제를 다시 돌린다는 것이다. 케인즈는 이른바 수정자본주의의 대부로 불렸다.

 그런데 유럽에서는 1932년 시작된 스웨덴 사민당의 정책이 있었다. 사민당 집권기에 스웨덴은 대공황의 경제위기를 기적처럼 극복했다. 우리는 학창시절 교과서에서 배울 수 없었다. 이유는 단순하다. 첫째, 불온한 이념으로 취급했다. 스웨덴의 정책은 사회민주주의(사민주의) 정책으로 불렸고, 한국에서 사민주의는 곧 사회주의로 오해되었기 때문이다. 처음부터 사민주의는 양쪽에서 공격받는 운명이었다. 사회주의자들은 자본주의의 아류라고 비난했고, 자유주의자들은 사회주의의 일종이라고 매도했다.

 둘째, 시장주의 주류경제학에서 이단으로 취급했다. 냉전시대가 지나간 뒤에야 1930년대 대공황을 성공적으로 극복한 스웨덴 케이스가 새롭게 주목받을 수 있었다. 복지국가 담론과 함께 과거 스웨덴 사민당 정책은 폭넓게 연구되었다. 그렇지만 시장주의 주류경제학자들은 스웨덴 케이스를 제대로 평가하지 않았다. 인구가 적고 자연자원이 풍부한 원래 부자 나라의 이야기로, 말그대로 특수성으로 취급해 일반화하기 어렵다고 비판했다. 그런 비판은 지금도 계속되고 있다.

─이념이 아니라 문제에 집중
 1920~30년대 유럽은 엄청난 이념 과잉의 시대였다. 자본주의의 위기가 심각하게 드러나면서 민생은 어려워진

반면 1917년 러시아 혁명의 성공으로 마르크스주의의
열기는 뜨거웠다. 원래 마르크스주의는 추상적인 이론
이다. 역사 발전 법칙이라든지 노동자계급의 승리와 같
은 필연적인 미래를 강조한다. 그래서 아름다운 미래의
유토피아를 자신의 것으로 전유했다.

 그러나 '언제인지 알 수 없는' 필연적 변화와 그 뒤에 오
는 유토피아를 말했지만, 다수의 사람들이 당면한 오늘
의 문제를 해결하고 다수의 사람들이 동의하는 내일의
희망을 만들어내지 못했다는 점이 문제였다.

 그런 점에서 가난한 사람들에게 몰인정하고 자본주의
경제위기의 해법을 찾지 못한 당시의 자유시장주의나,
경제위기를 자본주의 몰락의 당연한 과정으로 보고 다
가올 기회에 권력을 잡으면 모든 문제가 해결된다고 본
당시의 사회주의는 모두 민생 현실에 대안이 될 수 없
었다.

 이 때 스웨덴 사민당의 비그포르스는 이념이 아니라 문
제에 집중했다. 복지와 일자리와 성장의 문제에 집중했
다. 당시로선 '코페르니쿠스의 전환'과 같이 사고의 대전
환을 이루어낸 것이다. 그는 실패한 자유시장주의의 결
과를 치유하는 복지정책을 제시했고, 경제위기를 자본
주의 몰락의 당연한 과정으로 보는 사회주의에 반대했
다. 노동조합도 생산력 향상에 참여해 경영자와 함께 일
자리와 성장을 만들어낼 협력의 비전을 제시했다.

 스웨덴 사민당은 1932년 선거에서 제1당이 되고 집권

에 성공한다. 서민적인 화법으로 대중을 설득한 한손은 총리가 되고 비그포르스는 재무장관이 되어 사민주의 정책을 밀고 나갔다. 즉각적인 일자리 창출 정책을 시행하고, 부족한 사회 인프라에 과감히 투자했다. 4년간의 적자재정 끝에 호황기에 이른 1936년에는 균형재정을 달성한다. 대공황의 경제위기를 성공적으로 극복했다. 이후 1976년까지 44년간 스웨덴 사민당은 장기집권한다.

―국가는 국민의 집

스웨덴에서도 처음 연간 2주의 유급휴가나 출산-양육수당, 상속세와 증여세의 누진세 제도 같은 비그포르스의 구상(예테보리 강령, 1919)은 씨알도 안 먹히는 소리였다. 많은 중산층도 반대했다. 그때 등장한 대중 정치인이 한손이다. 초등학교를 중퇴하고 최하층 노동자 생활을 경험한 한손이 대중들을 설득하기 시작했다. 그가 제시한 그림이 바로 '국민의 집'(의회연설, 1928)이다.

국민의 집, 또는 국민의 가정이란 개념은 쉽게 말해 가족의 일상사를 국가로 확대하자는 것이다. 아이의 출산과 양육은 가족이 함께 책임지는 것이고, 아들이 실업을 했다고 해서 밥을 굶기지 않으며, 늙은 부모를 자식이 돌보고, 아프고 힘들면 치료받고 쉴 수 있는 곳이 집이다. 좋은 가정은 서로 배려하고 협력하며 도움을 주는 곳이다. 그래서 선량한 국민들은 서로 가족이 되어야 한다고 했다.

물론 지나치게 낭만적인 비유이고, 국가의 정책을 시장의 논리가 통하지 않는 가족의 일상사와 같이 할 수 없다는 반론도 당연히 있고 당시에도 그랬다. 그렇지만 복지국가의 시작은 연대와 협력이라는 가치를 인정할 때 가능한 것이다. 가치에 대한 동의를 얻기 위해서, 그리고 복지국가 정책이 제도적으로 자리잡기 위해서 연대와 협력이 사회적 생산력 증대, 즉 성장의 동력이 되도록 연관된 정책 조합을 잘 만들어야 한다는 점도 당연히 중요하다.

─시장과 공공의 조정자

그래서 비그포르스는 '나라살림의 계획'이라는 개념을 제시한다. 그는 거창한 유토피아를 제시하지 않고 지금 여기 사는 사람들의 열망이 무엇인지 알고 그에 맞는 대안을 만들고자 했다. 집 걱정, 의료비 걱정, 교육비 걱정 등 수많은 부정적 열망을 해결하기 위한 시스템과 더 잘살기 위해 성취하고 싶은 긍정적 열망을 돕는 시스템을 모순되지 않고 일관되게 설명하려고 노력했다. 나라 전체의 산업을 조직하면서 공공의 영역과 시장의 영역을 효과적으로 조정(coordination)하는 것을 나라살림의 계획이라 했다.

스웨덴은 한센 총리에서 팔메 총리까지 이어지는 44년의 사민당 집권 기간동안 고복지와 고성장을 동시에 이루어 내는 성과를 냈다. 1인당 GDP는 5만달러를 넘은지 오래되었고, 세계경제포럼이 매년 제시하는 국가경쟁력

순위에서 최상위권을 유지한다. 우리가 오랫동안 사민주의와 사민당을 이념적 편견을 가지고 애써 외면해 왔을 뿐이지, 분명 국가의 산업을 성장시키고 국민의 복지를 증진시킨 모범 사례를 북유럽 스웨덴은 만들어 냈다.

—사회적 경제

이제 이념의 색안경을 벗고 육안으로 문제를 들여다봐야 한다. 얼마전 우리나라 국회에서 본 웃지 못할 장면이 있다. 학교에서 '사회적 경제'를 가르치는 교재를 들고 나온 어느 자유한국당 의원이, "왜 자유시장 경제보다 사회적 경제가 낫다는 것을 가르치느냐", "왜 우리 헌법 가치를 훼손하는 교육을 아이들에게 시키는가" 열변을 토하면서 공무원을 질책하는 모습이었다.

우리 헌법은 자유시장 경제와 사회적 경제를 모두 담고 있다. 사회적 시장경제라고도 한다. 대다수 선진 민주국가들이 가진 국가 철학이기도 하다. 우리 헌법은 일방적으로 시장의 자유만을 이념으로 하는 헌법이 아니다. '사회적'이라는 말만 나와도 히스테리 반응을 보이고 이념 도그마를 들고 나오는 것은 절반은 무식하기 때문이고 또 절반은 시대착오적인 과대망상증 때문이다.

이념형 정치는 이제 사라져야 한다. 동서를 막론하고 이념형 정치가 문제를 해결한 사례를 본 일이 없다. 반세기 전에 이미 중국의 덩샤오핑은 '흑묘백묘', 흰 고양이든 검은 고양이든 쥐만 잘 잡으면 된다는 말로 실사구시를 선언했다. 시장과 공공의 조정자로서 국가의 역할을

규정하고 산업정책과 사회정책에서 과감한 전환을 시도
해 성공한 스웨덴의 경우도 이념이 아니라 문제 해결을
위해 지혜를 모은 것이다.

-문제는 다시 경제다.

 1997년 전후 아시아를 몰아친 외환위기가 지나갔지만,
다시 10년 후 미국에서부터 터져 나온 금융위기는 유럽,
아시아를 지나 전세계를 흔들었다. 연이어 세계는 재정
위기와 금융위기가 반복되고 있다. 거기다 세계적인 불
황의 그림자는 매우 짙다. 위기가 다양하게 반복되지만
어느 한 곳에서도 제대로 해결되지 못하고 있다. 위기의
일상화라는 말이 낯설지 않게 된 지도 꽤 된다. 반복되
는 위기 속에서 언제 다시 파국적인 상황을 보게 될지는
누구도 모르는 것 같다.

 이 와중에 지독한 양극화, 실업, 빈곤으로 많은 사람들
이 생존과 존엄이 위협받는 상황으로 내몰리고 있다. 만
성적인 경제위기와 불황의 극복은 절박한 요구이고 모
든 나라 모든 정치세력의 당면한 과제다. 보이는 것은
세계적인 경제위기이고, 보이지 않는 것은 뚜렷한 해법
이다. 그래서 다시 지금 필요한 것은 이념이 아니라 문
제 해결이다.

-복지와 성장의 해법

 과연 복지를 강화하면서도 지속적으로 높은 경제성장
을 이룰 수 있을까. 이 질문은 오래되었지만 언제든지

타당하다. 새로운 복지정책의 타당성은 지속가능성으로 따져봐야 한다. 지속가능하지 않은 복지는 처음부터 하지 않음만 못한 경우가 많기 때문이다. 그런데 이 지속가능성은 일차적으로 경제성장으로부터 나온다. 그러니 복지와 성장은 서로 뗄 수가 없는 것이다.

-기업경쟁력 강화 전략

나라살림의 경제라는 생각 속에서 시장과 공공의 조정자(coordinator) 역할을 자임한 스웨덴 정부는 우선 고도의 산업정책과 노동정책으로 기업경쟁력을 강화하는 전략을 폈다. 경쟁력이 높은 산업, 미래가 밝은 산업은 적극 지원하고 경쟁력이 낮은 산업과 한계기업들은 시장에서 자연스럽게 도태시키는 국가산업정책을 채택했다. 산업구조 전환이 필요한 때에 전환이 이루어지도록 하는 방법은 철저히 시장의 논리에 맡기는 것이다. 국제 경쟁력을 잃은 사양산업과 한계기업 과잉설비를 정부가 나서지 않고 시장의 원리에 따라 정리하는 방법이다. 반면 전도유망한 새로운 산업에 자원이 집중되도록 지원하는 방법으로 산업구조를 조정하고 고도화해냈다.

-동일노동 동일임금

또한 노동시장정책에서 '동일노동 동일임금'을 관철하는 방법으로 산업구조조정을 용이하게 한다. 같은 산업계 업종 내에서는 회사가 달라도 직무나 직능이 같은 노동자는 같은(비슷한) 임금을 받는 제도가 확립된 것이다. 스웨덴은 40여개의 업종별 노동조합과 스웨덴 기업 연맹 간에 임금 단체협약을 체결한다. 이 협약에서는 개별 기업의 경영실적이 아니라 업계 평균적인 실적과 수익에 따라 임금이 정해진다.

따라서 평균이상의 수익을 내는 기업은 임금을 덜 나누어도 되니까 새로운 투자가 가능해진다. 반면 실적이 나쁜 기업은 임금 인상 압박을 견디지 못하는 상황이 만들어진다. 그래서 기업은 동일노동 동일임금과 업종별 임단협의 조건에서 살아남기 위해서 경영혁신을 게을리할 수 없는 것이다.

결국 시장에서 기업의 성장과 퇴출이 자연스럽게 일어나게 된다. 이 과정에서 노동자들의 실업과 재취업이 문제가 될 수 있는데, 스웨덴은 국가가 강력한 사회복지정책으로 실업자의 생활안정을 뒷받침해주기 때문에 부수적인 사회적 비용이 발생하지 않는다. 다니던 회사의 임금에 가까운 실업급여를 받고 무상으로 직업교육을 받을 수 있다. 국가의 산업경쟁력, 기업경쟁력을 강화시키기 위해 동일노동 동일임금을 관철하면서 노동자의 임금을 보장하고 또 강력한 사회안전망으로 노동자의 이동을 보장해주는 것이다.

− 해고가 살인이 아니려면

우리나라 제조업에서 대기업과 1차, 2차 납품기업의 노동자 임금은 큰 차이가 있다. 유사한 업종 같은 직능이라고 해도 약 2배에 가까운 임금 차이가 있다. 산별 업종별 노조와 단체협약을 체결하지 못하고 있다. 임금이 업종이나 하는 일에 따라 정해지는 것이 아니라 어떤 회사에 취직하느냐에 따라 달라지는 것이다. 또 정리해고나 폐업으로 직장을 잃으면 받는 실업급여가 기존 임금에 현저히 못 미치고 재취업 지원도 실효성이 높지 않다.

그래서 우리나라 대기업 노동자들은 해고가 되면 기존 임금 수준보다 현격히 적은 실업급여를 받아야 할 뿐만 아니라 다시 대기업에 취업하지 않으면 기존 임금에 가까운 임금을 받을 수 없게 된다. 같은 업종이라도 대기업 노동자가 직장을 잃어 중소기업에 취직하면 종전과 같은 생활을 영위할 수 없게 된다. 그리고 대기업 재취업은 어렵다. 그래서 쌍용자동차 해고 노동자들은 '해고는 살인'이라고 외치는 것이다. 복직투쟁을 거칠게 할 수밖에 없는 것이다. 한 기업의 정리해고가 사회에 끼치는 영향과 사회적 비용이 막대하기 때문에 정리해고를 수반한 산업구조조정은 더더욱 엄두를 내기 어려운 실정이다.

스웨덴 케이스에서 우리는 동일노동 동일임금 제도가 불평등을 해소하고 공정한 분배를 보장하는 노동자 권리적인 측면뿐만 아니라 국가의 산업경쟁력과 기업경쟁력을 끌어올리기 위한 산업구조조정을 사회적 비용 없이 가능하도록 하는 기능을 한다는 점을 알 수 있다.

－인적자본 극대화
교육분야가 공공화되면 국가의 인적 자본이 극대화된다. 사실상 돈 때문에 교육받을 기회를 포기하는 경우를 아직 많이 본다. 의지와 열정이 있으면 언제든지 자신에 맞는 교육받을 권리를 보장한다면, 국가적 차원에서 훨씬 양질의 인적 자본을 얻을 수 있다. 스웨덴의 경우 대학까지 모든 교육이 무상이다. 학생들의 처지에 따라 일부 생활비까지 지원되기도 한다.

성인이 된 뒤의 재교육과 평생교육도 국가가 체계적으로 제도화한다. 이 점은 일부 기업이 부담하는 재교육 비용을 국가가 대신 부담한다는 측면도 있다. 개인의 입장에서도 언제든지 재충전하고 재교육을 받아서 다시 새로운 산업에 들어갈 수 있도록 준비할 수 있다. 북유럽 국가들의 산업경쟁력 중에서 인력 경쟁력이 매우 높다는 것을 주목할 필요가 있다.

―공공 일자리와 사회임금

지속가능한 복지국가는 경제성장과 맞물려가는 복지국가일 수밖에 없다. 스웨덴은 대규모 사회적 일자리를 창출하고 사회임금(국가가 주는 수당, 연금, 복지서비스 등)을 올려 시장에서 수요를 창출하는 방법으로 내수를 떠받치고 복지를 뒷받침했다.

우선 정부가 보육과 교육, 의료와 요양, 치안과 소방 안전에 관한 공공 일자리, 사회적 일자리를 대규모로 만들어 낸다. 스웨덴의 공공 일자리는 국가 전체 일자리의 31%에 이른다. 우리나라는 13%다. 공공 일자리를 대폭 확대하면 국가의 공공 서비스를 개선할 수 있고, 적절한 사회임금이 창출하는 수요로 인해 경제도 성장시킬 수 있다.

 일자리는 기업이 만들고 기업이 만들지 않는 일자리는 비용일 뿐이라는 인식은 철저한 시장주의 관점이다. 현재 그런 관점으로 국가 경제를 운영하는 나라는 없다. 기업이 일자리를 만들지 못하면 실업자가 더 늘어나고 실업의 증가가 사회에 끼치는 큰 부담을 계산하지 않는 것이다. 또 국가가 나서서 유효수요를 창출하고 불황을 극복한 여러가지 사례들조차 무시하는 생각이다.

 다른 한편 복지국가는 세금 재원으로 수당, 연금 등 보편적 복지혜택을 대폭 확대했다. 국민의 생활 안정을 꾀하여 경제적인 면에서 수요를 확대시킨다. 북유럽 복지국가들이 세계적인 경쟁 속에서 살아남고 성장할 수 있는 것은 바로 내수, 국내 수요를 안정적으로 유지할 수 있었기 때문이다. 일자리와 사회임금을 확대해 미래에 대한 불안감을 제거하고 소비 여력을 높여서 내수 경제를 활성화시킨 것이다.

─스웨덴 케이스

 우리가 스웨덴의 경험을 읽는 이유는 그동안 일본을 읽고 미국을 읽은 것과 똑 같은 이유다. 스웨덴의 성공에서 교훈을 얻고자 하는 것도 일본의 성공, 미국의 성공에서 교훈을 얻었던 이유와 같다. 다만 스웨덴의 경우는 일본, 미국과 훨씬 다른 방향으로 국가를 운영해 왔다.
 그런 면에서 우리에게 또 다른 길도 있다는 것을 보여주고 인식의 지평을 넓혀준다.

복지에 대한 편견과 복지국가에 대한 폄훼는 익숙할 만큼 많이 들었다. 그러나 정작 복지와 성장을 동시에 이룬 경험을 제대로 들은 적은 없다. 과거 내 경험이 그렇다. 복지가 많으면 사람들이 게을러지고, 기업들이 세금 내기 싫어서 떠나고, 국가가 가난해져 결국 망한다고 하는 생각의 스테레오 타입은 우리가 그렇게 배운 것일 뿐. 실제로 그런지는 그동안 따져보지 않았다.

 볼보, 사브, 이케아, 에릭슨, H&M 등 유명 글로벌 브랜드가 스웨덴 기업이고 내수를 바탕으로 성장해 온 기업이란 것을 알지 못했다. 동일노동 동일임금으로 노동시장이 균형을 잡고, 해고가 살인이 아니고, 오히려 기업의 해고와 구조조정이 자유롭고, 국가경쟁력과 기업경쟁력이 높으며, 무상교육을 통해 우수한 인적 자원을 보유한 나라인 것을 알지 못했다.
 좋은 제도가 정착되면 많은 사람의 고통을 덜어줄 수 있다. 많은 사람이 새로운 기회를 가질 수 있고, 조금 더 행복해질 수 있다. 그리고 그 좋은 제도는 이념이 아니라 실사구시에서 온다. 문제를 해결하는 제도가 좋은 제도다.

2. 그래도 더 잘 사는 것이 목표다
「호모 데우스」 유발 하라리

－빛나는 생각

역사상 처음으로 너무 많이 먹어서 죽는 사람이 못 먹어서 죽는 사람보다 많고, 늙어서 죽는 사람이 전염병에 걸려 죽는 사람보다 많고, 자살하는 사람이 군인, 테러범, 범죄자의 손에 죽는 사람보다 많다.

세계에 자연적 기근은 더 이상 존재하지 않고, 오직 정치적 기근만 존재한다. 2010년 기아와 영양실조로 죽은 사람이 총 100만 명 정도였던 반면 비만으로 죽은 사람은 300만 명이다.

20세기 초까지 어린이의 약 3분의 1이 영양실조에 질병까지 겹쳐 성인이 되기 전에 죽었다. 최근에는 성인의 되기 전에 죽는 어린이는 5%이하다.

심각한 전염병이 미래의 인류를 위험에 빠뜨릴 경우의 수는 단 하나, 어떤 무자비한 이념을 위해 인류 스스로 그런 병을 창조하는 경우이다.

2012년 전 세계 사망자 수는 약 5,600만 명. 이 중 62만 명이 폭력으로 죽었다.(전쟁에서 12만 명, 범죄로 50만 명이 죽었다.) 반면 80만 명이 자살했고, 150만 명이 당뇨병으로 죽었다. 현재 설탕은 화약보다 위험하다.

역사상 처음으로 정부, 기업, 개인들이 미래를 생각할 때 전쟁의 가능성을 고려하지 않는다.

지식이 가장 중요한 경제적 자원이 되면서 전쟁의 채산성이 떨어졌고, 전쟁은 아직도 시대에 뒤떨어진 물질기반 경제를 운영하는 지역, 예컨대 중동이나 중앙아프리카에서만 일어나게 되었다.

이전 세대들이 평화를 일시적인 전쟁 부재 상태로 생각했다면 지금 우리는 평화를 전쟁을 생각하지 않는 상태로 여긴다.

2010년에 비만과 그 관련 질환들로 죽은 사람이 약 300만 명이었던 반면, 테러로 죽은 사람은 전 세계에서 총 7,697명이었다. 대부분의 경우 테러리즘에 대한 과잉반응은 자극의 안보에 테러범보다 훨씬 더 위험이 된다.

우리가 기아, 역병, 전쟁을 통제할 수 있었던 것은 주로 경이로운 경제성장 덕분이었다.

불멸, 행복, 신성이 인류의 다음 목표다.

역사를 통틀어 종교와 이념은 생명 그 자체를 신성시하지 않았다. 과거에 죽음이 성직자와 신학자들의 일이었다면 지금은 공학자들이 그 권한을 인수받았다.

20세기 기대수명이 40세에서 70세로 두 배 가까이 늘었다.

과학은 장례식만큼 진보한다.(물리학자 막스 프랑크) 한 세대가 사라질 때 비로소 새로운 이론이 옛 이론을 뿌리 뽑을 기회가 생긴다는 뜻.

기아, 역병, 전쟁을 피한 사람들은 70~80대까지 살았다. 그것이 호모 사피엔스의 자연수명이기 때문이다. 사실상 지금까지 현대 의학은 인간의 자연수명을 단 1년도 연장하지 못했다. 의학은 때 이른 죽음에서 우리를 구하고 우리가 주어진 생을 온전히 눌릴 수 있게 하는 업적을 이뤘을 뿐이다.

19세기부터 20세기에 걸쳐 국가가 생각하는 성공의 척도는 국민의 행복이 아니라 영토의 크기, 인구증가, GDP 증대였다. 복지제도도 원래는 궁핍한 사람들을 위해서가 아니라 국익을 위해 기획되었다. 19세기 말 독일에서 오토 폰 비스마르크가 국민연금과 사회보장제도를 도입했을 때 그의 주된 목적은 국민의 행복을 증진하는 것이 아니라 국민의 충성을 확보하는 것이었다.

백 년도 더 전에 국력을 높이기 위해 제정된 방대한 제도들이 이제는 개인의 행복과 복지를 위해 쓰여야 한다고 생각하는 사람들이 점점 늘어나고 있다.

실제와 기대가 일치할 때 만족한다. 나쁜 소식은 조건이 나아질수록 기대가 부풀어 오른다는 것이다. 최근 몇 십 년 동안 인류가 겪은 것처럼 조건이 확 좋아지면 만족도가 높아지는 것이 아니라 기대치가 높아진다. 이 문제를 해결하지 못한다면 우리는 앞으로도 성취하면 할수록 불만이 커질 것이다.

행복과 고통은 단지 그 순간에 어떤 신체감각이 우세한가의 문제이다. 우리는 외부세계에서 일어나는 사건에 반응하는 것이 아니라 자기 몸에서 일어나는 감각에 반응할 뿐이다.

사람을 비참하게 만드는 유일한 것은 몸에서 일어나는 불쾌한 감각이다. 몸에서 일어나는 유쾌한 감각이 사람을 행복하게 만든다.

우리의 생화학적 기제는 수없이 많은 세대를 거쳐 오면서 생존과 번식의 기회를 늘리기 위해 적응했을 뿐 행복을 위해 적응하지 않았다. 우리의 생화학적 기제는 생존과 번식에 도움이 되는 행동을 유쾌한 감각으로 보상한다.

우리를 행복하게 만드는 것은 목표 자체가 아니라 과정이다.

인간을 신으로 업그레이드하는 데는 세 가지 방법이 있다.

생명공학, 사이보그 공학, 그리고 비유기체 합성이다. 건강, 행복, 힘을 추구하는 인간은 더 이상 인간이 아니게 될 때까지 자신들의 모습을 한 번에 하나씩 점진적으로 바꿔나갈 것이다.

성장이 멈춘다면 경제는 포근한 평형 상태에 안착하는 것이 아니라 추락해서 산산조각 날 것이다.

모든 업그레이드가 처음에는 치료를 이유로 정당화된다.

모든 본능, 욕구, 감정이 생존과 번식상의 필요로 진화한 것은 틀림없는 사실이다. 그러나 어느 날 갑자기 필요가 사라진다고 해서 그 동안 지녔던 본능, 욕구, 감정도 함께 사라지는 것은 아니다. 설령 생존과 번식에 도움이 되지 않는다 해도 그런 본능, 욕구, 감정은 그 동물의 주관적 경험에 계속 영향을 미친다. 소, 돼지, 인간의 마음 깊숙한 곳에 있는 감각과 감정 구조는 석기시대 이래로 크게 달라지지 않았다.

감정은 모든 포유류의 생존과 번식에 필수적인 생화학적 알고리즘이다. 알고리즘은 계산을 하고 문제를 풀고 결정을 내리는 데 사용할 수 있는 일군의 방법론적 단계들이다. 인간은 알고리즘이다. 인간을 제어하는 알고리즘은 감각, 감정, 생각을 통해 문제를 해결한다. 알고리즘은 자연선택을 통해 끊임없이 품질관리를 받는다. 감각과 감정은 실은 알고리즘이다. 계산의 결과는 느낌으로 나타난다. 자연선택은 번식확률을 평가하는 급속 알고리즘으로 격정과 혐오를 진화시켰다.

 인류는 농업혁명으로 동식물을 침묵시키고 애니미즘이라는 장대한 경국을 인간과 신의 대화로 바꾸었다. 그런데 인류는 과학혁명을 통해 신도 침묵시켰다. 농업혁명은 유신론적 종교를 탄생시킨 반면 과학혁명은 신을 인간으로 대체한 인본주의 종교를 탄생시켰다. 유신론은 신을 앞세워 농업을 정당화했다면, 인본주의는 인간을 내세워 공장식 축산 농장을 정당화했다.
 인간이나 쥐, 개, 돌고래, 침팬지는 그리 다르지 않다. 그들도 우리도 영혼이 없다. 그들도 우리도 의식을 갖고 있고, 복잡한 감각과 감정의 세계를 지닌다.
 오늘날 인간이 이 행성을 지배하게 된 것은 호모 사피엔스가 여럿이서 유연하게 협력할 수 있는 유일한 종이기 때문이다. 사피엔스만이 수많은 낯선 사람들과 매우 유연한 방식으로 협력한다.
 1917년 러시아 공산당원은 겨우 2만 3,000명이었다. 협력하는 방법과 자신들의 이익을 지키기 위해 효율적인 조직을 만드는 방법이 핵심이다.
 사피엔스는 냉정한 수학적 논리를 따르기보다는 훈훈한 사회적 논리에 따라 행동한다.
 영장류가 도덕적 본성을 지니고 있으며 평등은 보편적이고 영원한 가치라는 믿음을 갖게 했다. 사람들은 타고난 평등주의자여서 불평등한 사회는 반감과 불만 때문에 제대로 돌아가지 못한다.

대규모 집단의 사람들은 소규모 집단의 사람들과 근본적으로 다른 방식으로 행동한다. 위협과 약속은 위계질서와 대규모 협력 네트워크를 만드는 데 대개 성공한다. 인간의 대규모 협력은 결국 상상의 질서에 대한 우리의 믿음에 기반한다.
사람들은 끊임없이 서로의 믿음을 강화하면서 자기 영속적인 고리를 만든다. 지난 7만 년 동안 사피엔스가 발명한 상호주관적 실재들은 점점 막강해졌고, 오늘날 이들이 세계를 지배한다. 세계에 의미를 부여하는 허구들을 해독해야 한다.
사피엔스들은 삼중 현실 속에서 살아간다. 사피엔스들의 세계는 나무와 강, 두려움과 욕망 외에 돈, 신, 국가, 기업에 관한 이야기들을 포함한다.
문자 언어는 실제를 기술하기 적당한 방법으로 생겨났지만 서서히 실제를 고쳐 쓰는 강력한 방식이 되었다.
허구는 우리의 협력을 돕는다. 전쟁의 원인은 허구이지만 고통은 실제다. 이야기는 인간사회의 토대이며 기둥이다.
종교를 규정하는 것은 신이 있고 없고의 여부가 아니라 사회적 기능이다. 종교는 사회구조에 초인적 법칙이 반영되어 있다고 주장하며 인간의 규범과 가치를 정당화한다. 종교는 사회질서를 유지하고 대규모 협력을 조직하는 도구다.

인간은 힘을 가지는 대가로 의미를 포기하는 데 동의했다.

근대 이후의 삶은 의미가 사라져버린 우주 안에서 끊임없이 힘을 추구하는 과정이다. 근대 이후 문화는 역사상 가장 위력적이고, 쉼 없이 조사하고 발명하고 발전하고 성장한다. 동시에 과거의 그 어떤 문화보다 큰 존재론적 불안에 시달린다.

근대 이후 경제성장은 거의 모든 종교, 이념, 시민운동이 만나는 중요한 접점이 되었다. 경제성장이 세계 모든 곳에서 거의 종교적인 지위를 획득했다. 경제성장은 모든 좋은 것의 원천이므로 윤리적 불일치는 잊고 그게 무엇이든 장기적 성장을 최대화하는 행동 방침을 따르라고 설파한다.

현대사회는 불확실성과 혼란을 절대적으로 요구한다. 단단한 모든 것은 흔적 없이 사라진다.

인류를 구원한 것은 수요공급의 법칙이 아니라 새롭게 떠오른 혁명적인 종교인 인본주의였다. 무의미하고 무법적인 존재에게 해독제를 제공한 것은 인본주의였다. 인본주의는 지난 몇 백 년 동안 세계를 정복한 혁명적인 새 교리다. 인본주의는 역할을 뒤집어 인간의 경험이 우주에 의미를 부여하도록 한다.(사회주의적 인본주의, 진화론적 인본주의)

자유주의는 많은 경우 오래된 집단 정체성 및 동족의식과 융합해 근대 민족주의를 형성했다.

20세기는 통째로 하나의 큰 실수였던 것처럼 보인다.

자유라는 신성한 단어는 알고 보니 영혼과 마찬가지로 의미를 밝히고 말고 할 것도 없는 알맹이 없는 용어였다.

이야기하는 자아는 최악의 순간과 최종 순간의 평균만을 기억한다. 인생에서 중요한 선택의 대부분이 이야기하는 자아에 의해 이루어진다. 우리 대부분은 자신을 이야기하는 자아와 동일시한다. 우리는 경험하는 자아가 겪은 무질서한 인생을 가지고 논리적이고 일관된 이야기를 자아내는 내부 시스템과 우리를 동일시한다.

환상을 갖고 사는 것이 훨씬 쉬운 것은 그것이 고통에 의미를 부여하기 때문이다. 신이나 국가 같은 상상의 실체를 믿게 하려면 사람들이 가치 있는 뭔가를 희생하게 해야 한다. 희생이 고통스러울수록 그 희생을 바치는 대상의 존재를 더 확실히 믿게 된다. 이야기하는 자아는 과거의 고통이 무의미했음을 인정하지 않기 위해 미래에도 계속 고통을 겪는 쪽을 택한다.

21세기 남성과 여성 대다수는 군사적 가치와 경제적 가치를 잃을 것이다.

2016년 세계에서 가장 부유한 62명이 가장 가난한 36억 명의 부를 가지고 있다.(세계 인구 72억 명)

사피엔스는 애초에 친밀한 소규모 공동체의 구성원으로 진화했고, 따라서 마음의 능력은 거대한 기계의 톱니로 사는 데 적응되지 않았다.

무엇이 욕망과 경험 대신 의미와 권위의 원천이 될까? 그것은 정보이다. 가장 흥미로운 신흥종교는 데이터교이다. 실질적으로 데이터교도들은 인간의 지식과 지혜를 믿지 않고 빅데이터와 알고리즘을 더 신뢰한다. 데이터교는 컴퓨터과학과 생물학에 단단히 뿌리내리고 있다.

자유시장 자본주의와 공산주의는 서로 경쟁하는 이념, 윤리적 신조, 정치제도가 아니다. 기본적으로 이 둘은 경쟁하는 데이터 처리 시스템이다. 20세기 후반의 독특한 조건 아래에서 분산식 처리가 더 잘 작동했다.

데이터의 양과 속도가 모두 증가함에 따라 선거, 정당, 의회 같은 훌륭한 제도들이 구시대의 유물이 될 지도 모른다. 그 제도들이 비윤리적이어서가 아니라 데이터를 충분히 효율적으로 처리하지 못하기 때문이다. 이런 제도들은 정치가 기술보다 더 빠르게 움직인 시대에 진화했다.

감정과 지능은 알고리즘에 불과하다.

더 나은 세계를 창조하는 열쇠는 데이터를 자유롭게 풀어주는 것이다.

우리는 자신이 여전히 가치 있다는 것을 자기 자신과 시스템에 증명해야 한다. 그리고 그 가치는 경험을 하는 데 있지 않고 경험들을 자유롭게 흐르는 데이터로 전환하는 데 있다. 감정들에는 수백만 년의 실용적인 지혜가 축약되어 있다. 당신의 감정은 저마다 험난한 환경에서 무사히 생존하고 번식한 수백만 조상들의 목소리다. 오랜 세월 동안 감정은 이 세계에서 가장 뛰어난 알고리즘이었다. 21세기는 더 이상 감정이 이 세계에서 가장 훌륭한 알고리즘이 아닐 것이다.

데이터교는 호모 사피엔스가 다른 모든 동물들에게 했던 일을 호모 사피엔스에게 하겠다고 위협한다.

먼 훗날 되돌아보면 인류는 그저 우주적 규모의 데이터 흐름 속 잔물결이었음을 알게 될 것이다.

1. 과학은 모든 것을 아우르는 하나의 교의로 수렴하고 있고 이 교의에 따르면 유기체는 알고리즘이며 생명은 데이터 처

리 과정이다.

2. 지능이 의식에서 분리되고 있다.

3. 의식은 없지만 지능이 매우 높은 알고리즘들이 곧 우리보다 우리 자신을 더 잘 알게 될 것이다.

-미래의 역사라니
다시 유발 하라리다. '사피엔스'를 통해 빅-히스토리라
는 지적 유행에 불을 지른 그가 다시 인류의 새로운 의
제를 가지고 왔다. 빅-히스토리 유행은 대전환의 징표
라고 말하는 사람들도 있다. 과학의 발달이 어떤 사회제
도를 만들든 인간은 더 잘 살고 싶다. 더 잘 사는 미래에
그 너머 또 어떤 역사적 전환이 이루어질 것인가. 미래
의 역사, 사실 형용 모순인 조어의 대담성에 놀라지만,
과연 인간의 본성에 대한 성찰과 숙고가 필요할 만큼 큰
변화가 진행되고 있음을 일깨워 준다.

 계속 잘 살기 위해서 풀어야할 숙제
 인간의 미래는 으레 유토피아를 예정한다. 인간의 이성
은 빛나고 과학의 발전은 여전히 눈부신 성과를 내면서
생산력을 발전시키고 협력과 연대, 평화의 가치가 존중
받아 온 지금까지, 인류가 그리는 미래는 유토피아다.
 그러나 지금 유발 하라리가 거대한 역사를 풀어내면서
거대한 질문을 던지고 거대한 담론을 유도하는 것은 디
스토피아의 예감 때문이다. 그것도 빅데이터와 인공지
능, 생명과학이라는 새로운 과학의 발전이 불러올 미래
다. 인류의 미래에 던지는 세가지 질문은 어쩌면 피하기
어려울 것이라는 느낌도 함께 전해진다.
 1.유기체는 단지 알고리즘이고, 생명은 실제 데이터 처
리 과정에 불과할까?
 2.지능과 의식 중에서 어느 것이 더 가치 있을까?

3.의식은 없지만 지능이 매우 높은 알고리즘이 우리보다 우리 자신을 더 잘 알게 되면 사회 정치 일상에서 어떤 일이 벌어질까?

−지금의 문제는 해결되었나

지금의 인류 호모사피엔스는 기아, 역병, 전쟁이라는 숙명적 문제를 해결했다고 한다. 하라리는 굶어 죽는 사람이 100만명이라면 비만으로 유발된 죽음은 300만명이라며 기아의 극복을 말한다. 현재의 생산력은 적절한 분배만 된다면 전 인류가 나눠 먹을 수 있는 수준이다. 천연두가 완전히 종식되었고, 영아 사망률이 떨어지고 기대수명이 크게 올라간 것을 역병 극복의 사례로 든다.

큰 전쟁은 이제 사라졌고 국지전이나 테러와 같은 사건만 종종 있을 뿐이라고 한다. 호모사피엔스는 500년전 과학혁명이 시작된 이후 이 문제를 해결해 내기 시작했고, 지금은 오래된 호모 사피엔스의 문제는 해소되었다는 것이다.

사실 OECD 회원국인 우리나라에서 기아, 역병은 이미 지금의 문제로 보기 어렵다. 다만 전쟁의 문제는 남북한과 북미라는 특수한 관계 속에서 가정적으로 남아있지만 이 역시 핵문제가 마지막 쟁점이란 점에서 역설적으로 재래식 국지전의 가능성마저 떨어뜨린다.

그러나 전지구적 차원에서 기아도 역병도 전쟁도 해결된 것이 아니다. 적절한 분배의 문제, 곧 '정치의 문제가 남았을 뿐'이라고 하지만 그것이 지금 여기 사피엔스의 과제다. 그것은 간단한 문제가 아니고 오히려 현재 인류가 서있는 지점이 인간의 존엄과 인본주의에 불철저한 어느 한 지점일 뿐이라는 말이다. 그것이 본질적인 문제인 이상, 정치의 문제가 해결되지 않으면 현재 인간의 문제도 해결되지 않은 것이다.

─인본주의는 지속 가능한가

인본주의는 인간다움의 이념이다. 인본주의는 인간의 자유의지에서 출발한다. 자유의지는 자유주의의 기본 전제다. 자유의지의 바탕 위에서 개인주의, 인권, 민주주의, 그리고 자유시장으로 구성되는 자유주의가 설 수 있다.

그런데 뇌과학과 생화학은 인간의 자유의지를 뇌의 전기작용으로 분해해 낼 수 있다고 한다. 자유로운 생각과 판단을 한다는 구체적인 경우에 뇌에서는 생화학적 반응이 먼저 일어나고 그것이 사람의 동작으로 연결된다는 점을 밝혔다. 뇌의 생화학적 반응은 유전자 구성의 차이에서 오는 것이지만 결국 생화학적 조작에 의해서 자유의지도 왜곡되거나 조작 가능해진다는 것이다. 인간마저 그렇다면 유기체는 생화학적 알고리즘에 불과하다는 가설은 수긍되어야 하는 단계까지 온 것이다. 인본주의의 기본 전제인 자유의지의 존재가 의심되는 사례가 과학의 일선에서 무수히 많이 나타나고 있다.

─알파고와 구글과 페이스북의 전지전능

평소 바둑을 즐기는 사람으로, 알파고와 이세돌의 바둑은 방송으로 다 봤다. 인공지능의 위력은 세계적인 바둑쇼를 통해서 사람들에게 각인되었다. 인공지능 알파고가 한중 두나라의 대표 바둑기사인 이세돌과 커제를 차례로 꺾었을 때 사람들은 인공지능의 경이로움에 탄성을 자아냈지만 기꺼이 알파고에 박수를 쳐주지 못했다. 이세돌은 바둑에서 진 후 기자회견에서 대국 결과는 이세돌의 패배이지 인간의 패배가 아니라고 말했다. 그러나 이제 TV 바둑 해설에서는 인공지능의 다음 수를 해설하고 인공지능에게 경기의 승패 예상까지 묻는다. 커제는 마지막 패전을 확인하고는 눈물을 흘렸다. 어릴 때 쓰던 말을 쓰자면 전자오락에서 졌다고 우는 건데, 사람이 아닌 기계와 게임에서 졌을 때 왜 울음이 나왔을까. 궁금했다. 그러나 커제에 이긴 알파고가 어떤 감정인지는 누구도 궁금해할 필요가 없었다.

 자유의지를 가진 나보다 나를 더 잘 아는 사람은 없다고 하는 자유주의자들은 빅데이터의 기술 발전 앞에 할 말을 잃고 있다. 우리가 누구에게 투표해야 할지 나보다 잘 아는 이가 구글(google)이다. 보통의 시민‘나’는 자기지역 국회의원 임기 내내 불만이 많았지만 최근에 몇가지 부차적인 요소로 마음이 누그러졌다면, 그에게 다시 투표할 가능성도 없지 않다. 그렇지만, 구글이라면 임기동안 내가 느꼈던 감정과 의견의 총합을 분석해 내고 시민‘나’를 위해 더 나은 결정을 할 수 있다는 말이다.

이미 페이스북(facebook)은 나에 대해서 많은 것을 알 수 있다. 페이스북 알고리즘은 '좋아요' 10개면 직장 동료보다 나를 더 잘 파악할 수 있다고 한다. 친구보다 나를 더 잘 알려면 70개, 가족보다 더 잘 알려면 150개, 배우자보다 더 잘 알려면 300개의 '좋아요'만 있으면 충분하다는 것이다. 이제 일부 영역에서는 나보다 나를 더 잘 아는 시스템이 생겨난 것이다. 그러면 더 이상 '자아'에 모든 결정을 맡길 필요가 있는가.

인공지능이라는 말은 이미 지능과 마음은 분리가능하고, 결국 단일한 나는 없다는 결론을 염두에 둔 말이다. 나는 분리할 수 없는 존재이고, 진정한 나는 완전히 자유롭고, 따라서 나는 누구보다 내가 잘 안다고 하는 자유주의와 개인주의는 무너지는 것이다.

ㅡ정치적 주권의 문제까지

지난 2016년 미국 대선에서 도널드 트럼프 대통령은 빅데이터를 기반으로 유권자를 분석하고 그에 맞는 정책으로 선거운동을 했다고 알려져 있다. 그리고 빅데이터만이 트럼프의 승리를 예상했다. 선거 막판까지 주류 언론은 트럼프의 패배를 예측했지만, 결과는 반대였다. 알고리즘은 처음엔 차량 내비게이션 같이 질문에 답을 할 뿐이었다. 차츰 빠른 길을 알려주고 경치 좋은 길을 알려주기 시작했고, 이제는 다른 차량의 이동까지 파악해 최선의 길을 결정하기에 이르렀다. 여기에 자율주행까지 결합되면 사람이 할 일은 거의 없다. 인공지능과 빅

데이터를 기반으로 하는 기술들은 이제 우리 일상 도처에서 우리 대신 결정하고 집행까지 하기에 이르렀다. 신탁의 단계를 지나 대리인의 역할을 하다가 이제는 주권자의 역할을 하기에 이른 것이다.

사실 투표하는 나보다 더 나의 정치적 요구(needs)를 잘 아는 알고리즘이 있다면 그리고 그것이 통합된 시스템 속에서 결정된다면 주권자인 나의 의미는 무엇일까 생각해 보면 하라리의 예견은 소름끼치는 일이다.

좋은 사회체제, 또는 살아남는 사회체제는 데이터를 잘 처리해 내는 사회체제라는 하라리의 관점에서 보면, 자본주의와 공산주의의 경쟁의 본질은 이념이나 윤리적 신조가 아니라, 데이터 처리 시스템의 효율성 경쟁이었을 뿐이다. 자본주의의 분산 처리와 공산주의의 중앙 처리 시스템의 경쟁이었다. 20세기 후반에 이르러 공산주의의 중앙 처리 시스템은 데이터의 양과 속도에서 대처가 불가능한 상황에서 무너지기 시작했고, 경쟁이 끝났다는 것이다.

민주주의와 자유시장이 전 지구적 데이터 처리 시스템을 형성했고, 인류가 단일한 데이터 처리 시스템이라면 그 산출물은 만물 인터넷(internet of all things)일 것이라고 본다. 하라리는 이 만물 인터넷이 완성되면 호모 사피엔스가 사라질 것이라고 한다.

─더 건강하고 행복하고 능력 있다는 것

다시, 과학혁명의 과정에서 인본주의는 그 기초가 무너지고, 기아, 역병, 전쟁이라는 호모 사피엔스의 과제가 해결되었다면, 인류의 다음 목표는 불멸, 행복, 신성이라고 한다.

하라리가 지어낸 데이터교라는 말은 이질감이 크다. 그러나 우주는 데이터의 흐름이고, 데이터는 자유롭게 흐르고 싶으며, 데이터 처리 속도가 가치를 결정 짓는다는 것은 사실 이미 암묵적으로 과학계를 지배하고 있는 관념이 되고 있는 것 아닌가.

인류가 건강과 행복, 그리고 힘을 갖기 위해서 우리 마음과 분리된 알고리즘의 지능에 더 많이 의존하고 차츰 데이터에 종교처럼 의존하며 결국에는 인간의 능력을 넘어선 알고리즘이 우리 일을 대신하게 될 것이라는 예상은 이미 수긍가능한 이야기다.

생각해 보면, 인간이 스스로 더 건강하고, 더 행복하고, 더 뛰어난 능력을 가질 수 있다고 생각하고 도전하는 것은 인본주의의 발로다. 그러나 역설적으로 인본주의가 궁극까지 이르면 스스로 파괴된다는 것이다. 호모 사피엔스가 불멸, 행복, 신성을 추구하고 일부 성취해 나가다 보면, 인류는 이미 다른 인류가 될 것이고, 더 이상 호모 사피엔스가 아닌 호모 데우스가 출연할 것이라는 말이다.

더 나아가 하라리는 주권적 결정권이 알고리즘에 넘어가면서 인류의 건강이나 행복이나 능력은 더 이상 의미가 없어질 것이라고 한다. 그리고 인간 중심이 아닌 데이터 중심의 세계관이 지배하게 되면 인류는 그저 우주적 규모의 데이터 흐름 속 잔물결에 지나지 않을 것이라고 한다.

－더럽지만 피할 수 없는 기분

 1980년대 한국사회는 거대담론 속에 빠져 있었다. 민주화를 위한 방법을 거대담론 속에서 모색했던 시기다. 지식인뿐만 아니라 민주화 운동에 가담한 사람들 누구나 열광했고, 내부에서 거대담론에 기댄 운동노선의 쟁투가 벌어졌다. 군부정권을 무너뜨리고 기본적인 인권을 찾겠다는 의지가 간절한 만큼 거대담론의 필요성이나 타당성에 대한 의심은 크게 드러나지 않았다. 1990년대를 지나면서 민주화가 성취되고 동유럽의 격변이 진행되면서 거대담론은 시들해졌다. 사실 당시 한국사회의 거대담론들은 이미 서구에서는 20년~30년 전에 유행이 지난 사조였다. 그나마 '역사의 종언'이라는 또다른 유행 속에 사라져갔다. 거대담론이 사라진 자리에 환경, 젠더, 외국인, 그리고 제도로서의 복지에 관한 담론이 들어왔다.

 80년대 대학을 다닌 많은 친구들처럼 감옥에 갔고 2년을 담장 안에서 지냈다. 그 안에서 누리는 몇 안되는 즐거움 중 하나는 일주일에 한 번 영화 보기였다. 수형 생활을 마치고 나와서는 곧 병원 신세를 졌다. 수술을 두 번이나 해야 할 만큼 몸이 많이 상해 있었다. 사회생활에 복귀할 엄두를 못내고 있었다. 그때 다시 영화를 즐겨 봤다. 몸을 많이 움직이지 않고도 즐거움을 얻었으니까. 영화 감상은 다른 장르와 좀 다르다.

그림을 보거나 소설을 읽고 나서 찾아오는 감흥은 곱씹어서 나오는 감흥이다. 여러 번 다시 쳐다보거나 책장을 앞뒤로 넘겨가면서 정돈된 감상을 기억으로 갖게 한다. 반면, 영화는 감독이 의도한 방향으로 시퀀스를 따라가다 끝난다. 일회성이고 그 자리에서 다시 뒤적여 보기 어렵다. 엔딩 스크롤이 올라가고 상영관에 불이 켜질 때 그 느낌이 오래 간다. 물론 집에서 비디오를 보며 소일할 때야 앞뒤로 돌려가며 볼 수 있겠지만.

홍상수 감독의 영화를 좋아했다. 홍상수 영화는 거칠게 말하자면 상영관을 나설 때 기분이 더럽다. 처음 본 '돼지가 우물에 빠진 날'부터 그랬다. 그런데도 묘한 중독성이 있어 새로운 작품을 찾게 되고 때로 반복해서 보게 된다.

그 더러운 기분을 말하려는 것이다. 기분을 정교하게 분석해낼 재간은 없지만, 일종의 부끄러움이고 상실감일 테다. 홍상수가 등장한 1990년대 중반은 소시민이란 말이 흔하게 쓰이던 때다. 장군들이 대통령을 하던 시대는 벌써 끝나고 명색이 문민정부 시대였다. 일상의 나날은 여전히 힘겹고 별 나아진 것이 없는데, 대이론이 한물 가고 거대담론도 없어졌다. 조직된 운동의 힘은 미약해지는 것 같았다. 개별화된 소시민의 욕망은 갈피를 잡지 못하고 사방팔방으로 분출되었다. 인간의 본성은 때로 한없이 나약하고 저열하게 드러난다. 작고 부끄러운 욕망이 좌절되는 장면에서는 어김없이 분노가 드러나고 만다.

한때 더 큰 사명을 위해 자기 욕망을 억눌러 왔고, 시대와 역사에 책임감을 갖고 헌신한다고 생각한 사람들이 어느 날 문득 거울에 비춰진 자기 모습에서 그저 작은 욕망을 탐하고 또 작은 일에 분노하는 소시민의 초상을 본 것이다. 그 기분을 적나라하게 드러내는 홍상수에 감탄했다. 4.19 시민혁명을 잃어버린 김수영의 시를 현대판으로 보는 것 같았다.

인본주의와 인간의 존엄이 그저 우리들이 만들어낸 것인가. 하라리의 표현을 빌리자면, 상호주관적 현실일 뿐이고 객관적 실체가 없는 것일까. 그래서 서로 덮어두기로 약속된 금기가 누군가에 의해 드러났을 때 더러운 기분에 빠지는 것일까. 그래서 나는 홍상수의 영화를 보면서 고결한 인간성이란 허구이고 저열한 욕망의 위장막에 불과하다는 진실이 드러나는 것에 심리적 거부감을 느꼈던 것일까. 그래서 나는 빅테이터와 인공지능, 4차산업혁명의 장밋빛 미래 너머에 인간 존엄의 상실이 도사리고 있다는 스토리에 애써 저항하고 싶은 것일까.

─좋은 제도의 조건

그래도 우리는 더 잘 살아야 한다. 더 건강하고 더 행복하고 더 능력있고 싶은 것은 인류가 포기할 수 없는 욕구고 목표다. 과학기술이 인류의 이런 욕망을 충족시키는 방향으로 발전해왔고 앞으로도 그럴 것이라는 기대, 낙관적인 기대를 가지는 것만으로 족하다. 다만 더 잘 살기 위해서 우리가 가진 기존의 관념이나 생활양식이나 때로는 윤리의식까지 변화가 불가피한 지점을 만날 때 어떤 태도를 취해야 하는지 준비할 필요는 있다.

우리가 양보할 수 없는 것은 무엇인지 집단적인 심사숙고가 필요한 때도 있을 것이다. 결국 우리는 과학과 기계에 대해서 하는 것보다 훨씬 더 인간의 문제에 집중해야 한다. 인간에 대한 이해를 깊게 하고 인간성을 존중하고 고양하는 노력을 중단없이 계속해야 한다. 결국 좋은 제도는 우리 모두 더 잘 살고 싶다는 욕망에서 시작해 더 잘 살기 위한 조건을 만드는 것이고, 좋은 제도를 지속적으로 갱신해 나가는 일이다. 무엇보다 더 잘 살고 싶은 욕망을 인간의 존엄과 인간성의 고양을 향해 연결되도록 조향하는 일일 것이다.

3. 불평등은 임박한 쇠퇴의 징후다

「불평등의 대가」 조지프 스티글리츠

－빛나는 생각

가난은 늘 우리 곁에 있다.

재정적자는 경기침체를 낳은 원인이 아니라 경기 침체에서 비롯한 결과일 뿐이다. 재정 긴축을 실시한 국가들이 위기에서 벗어난 경우가 거의 없다.

성장을 촉진하면서 동시에 평등성을 강화하여 상생 번영의 사회를 창조하는 것은 결코 이룰 수 없는 꿈이 아니다.

미국은 레이건 정부 이후 금융규제 완화와 조세제도의 누진성 축소로 불평등이 심화되었다. 불평등을 완화하고 기회의 평등성을 증진시키면 미국의 경제와 민주주의 사회가 그 혜택을 본다.

미국은 상위 1%의 부자들이 국부의 35%를 소유, 삼십년 전에는 12%를 차지했다. 미국에서는 불평등을 야기하는 핵심 요인이 정부 정책이다.

미국의 기대수명은 78세로 일본의 83세. 호주 이스라엘의 82세보다 짧다. 세계은행에 따르면 2009년 미국의 기대수명은 세계 40위로 쿠바보다 짧았다.

미국은 현재 정상적인 기능을 수행하지 못하는 사회의 특징으로 꼽히는 불평등 수준에 다가서고 있다.

 부의 불평등은 소득의 불평등보다 훨씬 더 심각하다.

 2008년 금융위기는 네거티브섬 게임이었다. 즉 승자가 얻은 이익이 패자가 입은 손실보다 적었다. 사회 성원들이 입은 손실이 금융업자들이 얻은 이익보다 훨씬 컸다.

 미국과 세계 경제가 대공항 이후 40년간 심각한 위기를 겪지 않을 수 있었던 것은 효율적인 금융 규제책이 기여한 바가 크다. 1980년대의 규제 완화는 지난 30년간 여러 차례 금융위기로 이어졌다.

 모든 문제의 핵심에는 정치가 있다.

 미국 노동자의 노동조합 가입률은 1980년 20.1%에서 2010년 11.9%로 하락했다. 노동자 보호가 강화되어야 경제력의 불균형을 바로잡을 수 있다.

 지난 금융위기는 불평등이 대폭적으로 심화된 이후에 발생했다. 대공항이 발생한 직전의 상황도 마찬가지였다.

 민주주의 국가임에도 불구하고 불평등 수준이 심각하다면, 그 나라의 정치 역시 균형을 잃을 수밖에 없다. 또한 균형을 잃은 정치가 균형을 잃은 경제를 관리한다면 치명적인 결과가 나타날 수 있다.

 사람은 기계가 아니다. 사람은 의욕이 있어야만 열심히 일을 한다. 부당한 대우를 받고 있다고 생각하는 사람에게 의욕을 불어넣기는 어렵다. 이것은 현대 노동 경제학의 핵심 원리 중 하나다.

 미국인들은 수세대에 걸친 집단적인 노력으로 구축된 물리적, 제도적 기반 덕분에 혜택을 누리고 있다.

작은 정부를 옹호해 오던 금융 부문은 정작 2008년 정부가 자신들을 구제해 줄 막대한 자금을 확보하고 있는 현실을 환영했다.

규제완화와 세금인하가 실시되었던 시기에는 성장이 둔화되었고, 계층 간 간극이 넓어졌다.

반복되는 금융위기는 자본주의 출현 이후 자본주의의 특징으로 자리 잡았고, 납세자들에게 무거운 부담을 떠넘기고 있다.

성공적인 대규모 경제를 달성한 사례 뒤에는 늘 정부의 결정적인 역할이 있었다.

개인적 수익과 사회적 수익은 일치하지 않는 경우가 많다.

이때 시장은 제대로 작동하지 않는다. 이 둘을 일치시키는 것이 정부의 역할이다.

부유층은 정치적 권력을 이용해서 불평등의 존속을 보장하려 할 뿐 경제와 사회의 평등성과 공정성의 향상에는 관심을 보이지 않는다. 정치 과정을 장악한 집단은 그것을 이용해서 자신에게 유리한 경제 시스템을 설계하려 한다. 1%에게 유리한 것이 나머지 99%에게도 유리하다는 잘못된 사실을 주입시킨다.

미국은 공익을 지원하고 유지하는 활동을 민간에게 맡김으로써 참담한 결과를 초래했다.

현재 우리가 안고 있는 문제는 공급이 아니라 수요다.

예산 긴축 정책이 성과를 낸 적이 거의 없다. 후버대통령이 채택했던 예산 감축 정책은 1929의 주식시장 붕괴를 대공항으로 전환시켰고, 국제통화기금이 강요한 예산 긴축 정책은 동아시아와 남미 지역의 경기 둔화를 경기 침체와 불황으로 선환시켰다.

 정부 규모가 축소되면 단기적으로는 경제가 약화되고, 장기적으로는 성장이 둔화될 것이며, 불평등은 더욱 심화될 것이다.

 불평등을 낳는 근본 원천은 실업이다.

 인플레이션이 아니라 실업 문제를 통화정책의 목표로 삼아야 한다. 거시 경제모델은 불평등 문제와 소득 분배 정책의 효과를 지나치게 도외시해 왔다. 미국은 지금까지 단기적인 안정화를 이루기 위해 재정정책보다는 통화정책에 중점을 두어 왔다. 인플레이션에 지나친 주안점을 둘 것이 아니라 성장, 고용, 안정의 균형 잡힌 조율로 주안점을 이동시켜야 한다.

 또 다른 세계는 가능하다.

 금융부문 규제, 조세 회피 통로의 차단과 소득세와 법인세의 누진성 강화, 유산세 제도의 효율성 강화와 집행의 효율성 확보, 교육 접근권 개선, 전국민 의료보장, 사회보호 프로그램 강화, 완전 고용과 평등성 제고를 위한 재정정책, 완전 고용을 유지하기 위한 통화정책과 통화 담당 기관, 적극적인 노동시장 정책과 개선된 사회 보호 프로그램, 공공 투자를 근간으로 하는 성장, 투자와 혁신의 방향을 전환하여 일자리와 환경을 보존.

−불평등이 불편한 이유

 사람들은 태어나서 죽을 때까지 불평등한 세상에 살면서도 불평등에 쉽게 익숙해지지 못한다. 이 불평등에 대해서 의문을 던지고 답을 구하는 일은 오래된 고민이었지만 이렇다할 해답을 찾기 어려운 일이었다. 루소가 '인간의 불평등은 사유재산에서 기원한다'고 하며 그것은 자연법 질서에 맞지 않다고 했다. 사람의 자연적 본성에 따른 새로운 사회계약으로 불평등은 극복될 것이라는 말하고 싶었던 것이다.(인간불평등의 기원, 1755) 뒤이어 프랑스 혁명(1789)은 절대왕정을 무너뜨리고 세상에 처음으로 평등 이념을 등장시킨다.

 다시 한 세기가 지나서 마르크스는 사유재산이 완전히 폐기되는 평등한 세상이 올 것이라고 예언했다. 당시까지 유럽의 철학 전통 속 변증법과 유물론 위에 역사적 필연성을 덧 입혀서 공산주의 사상을 만들었다. 마르크스의 사상은 20세기 들어서 러시아 혁명을 성공시키면서 대이론으로 등장했고, 세기 말까지 전 세계를 양분시키며 체제와 이념의 대결을 만들었다.

 루소가 불평등의 원인을 사유재산과 이를 지키는 정점인 절대왕정으로 지목하면서 왕정을 폐지하고 새로운 사회계약으로 공화정을 수립할 것을 의도했다면, 마르크스는 사회적 생산관계를 완전히 바꾸어서 지배가 없는 평등 세상을 상상한 것이다. 봉건적인 신분 질서에서도, 자본주의의 계약관계에서도 불평등은 사람들의 본성에 맞지 않는 것이었다. 루소가 자연법 질서에 부합하지 않는다고 말한 것이나, 마르크스가 무산자들의 혁명을 강조한 것이나, 모두 사람들에게 불평등은 인간 본성에 대한 억압이며 참기 어려운 것이라는 점을 간파한 것이다.

−불평등의 구조와 인내의 한계

 현대 민주주의 사회는 민주공화정과 시장의 자유를 보장하는 시스템을 채택하고 있다. 우선, 민주공화정은 원래 프랑스 혁명에서와 같이 왕정을 폐지하고 민주적인 선거에 의한 대의제를 통해서 국민이 주권을 갖는 체제를 말한다. 여기에 차별이나 불평등은 존재할 수 없다. 대한민국은 임시정부 때부터 민주공화국을 표방했다. 조선왕조가 외세에 의해서 멸망한 직후인데도 왕정복고를 꾀하지 않았고, 처음부터 민주주의와 공화국을 하겠다고 선언한 것이다.

 다음으로, 시장의 자유를 보장한다. 민주공화국의 틀 안에서 시장의 자유를 보장하는 시스템이 사실상 근대의 눈부신 발전을 만들어 냈다. 시장은 계약법의 영역이다. 근대의 계약은 평등한 양 당사자 사이의 약속이다. 봉건적 신분사회에서는 평등한 당사자의 지위를 인정하는 '시장' 자체가 저항의 공간이었다. 그래서 시장은 불온한 혁신의 공간이었다. 지금까지 시장은 가장 효율적인 자원 배분 시스템이고 경제의 혁신이 일어나는 시스템으로 인정되고 있다.

문제는 계약법이 말하는 평등한 당사자의 자유계약이란 것이 빛 좋은 개살구라는 것이다. 자유계약은 신분적 제약 없이 누구나 자신이 가진 것을 시장에서 거래할 자유를 갖는다는 말이지, 계약의 조건이나 계약 이행의 결과까지 평등하다는 말이 아니라는 점 때문이다. 자유시장경제에서는 언제나 비대칭적인 계약이 일어나고 그 결과 경제적 불평등이 커지게 된다.

 근대의 도시에서는 고리대금과 아동노동과 신체포기와 같은 불평등 계약이 만연했다. 이러한 반사회적 불평등은 사회가 인내할 수 있는 한계를 넘어서는 것이다. 그래서 샤일록이 안토니오의 살 1파운드를 떼 내겠다는 계약을 국가가 지켜줄 수는 없었던 것이고(베니스의 상인, 셰익스피어) 아동노동은 그 연령이 점차 올라가서 오늘날 금지되기에 이르렀다.

 특히 토지나 공장의 기계를 소유한 사람과 그곳에서 일하는 사람 사이의 계약은 언제나 불평등일 수밖에 없다. 근로계약의 불평등은 사회가 인내할 수 있는 한계를 넘는 것으로 인식된지는 얼마 안됐다. 특히 현실 사회주의 국가들이 존재할 때 노동시장은 자유주의의 약한 고리였다. 그래서 선진 민주국가는 어디나 노동자를 보호하는 엄격한 노동법을 갖고 있다. 노동자들은 최소한의 근로조건을 법으로 보장받을 뿐만 아니라, 개인이 아니라 단체로 협상해서 계약을 하고 조건이 맞지 않으면 합법적으로 단체행동도 하게 되었다.

희생과 보상, 기여와 대가의 차이는 우리 사회가 약속한 것이고 결과를 감내할 수 있는 불평등으로 보거나 또는 아예 불평등으로 인식하지 않는다. 사회가 명시적으로 또는 묵시적으로 합의하고 수용한 관념이기 때문이다. 크고 복잡한 불평등의 구조가 많은 부분에서는 사실 희생과 보상, 기여와 대가의 사회적 관계에서 나오는 결과라는 점은 분명하다. 한 사회가 어디까지 불평등을 인내할 수 있는가의 문제는 인간 본성과 시대에 따라 다른 감수성의 문제고, 국가 공동체의 통합력을 지속할 수 있는 임계점의 문제이고, 때론 자유주의 이념의 한계 문제이기도 하다.

 현대 민주국가에서는 국가가 공법을 동원해서 근대 계약법의 한계를 극복하고 맹점을 해소했다고 가정한다.

 그럼에도 불구하고 우리나라뿐만 아니라 미국을 비롯한 선진국에서도 사회적 경제적 불평등은 점점 커지고 있다. 국가 공동체의 통합력을 위협할 수준에 이르렀다는 공감이 커지고 있는 것이다.

─몇 가지 통계 숫자

 한국 사회의 경제구조와 계층별 소득에 영향을 준 변곡점은 1997년 외환위기와 2008년 금융위기다. 특히 외환위기는 세계화와 글로벌 스탠다드로의 이행이 시작된 시점이고 동시에 경제적 양극화가 사회적 문제로 대두된 시발점이다. (물론 1997년 이전에 빈부격차가 적었다는 말이 아니라 외환위기 이후 사회적 문제로 핵심 의제로 부각되었다는 말이다.) 물질적 정신적으로 우리 국민들의 삶의 양식을 완전히 변화시켰다.

반면 2017년은 양극화 속도에 제동을 걸기 시작한 때다. 분재인 정부의 출범으로 새로운 계기가 만들어졌다. 최저임금의 변화와 공공일자리 정책, 기타 사회임금의 상승 등으로 하위 소득의 변화가 있었고 앞으로 격차는 의미있는 숫자로 줄어들 것이라는 점을 감안해야 한다.

여기서는 우리나라 계층별 소득구조는 두번의 경제위기 이후 크게 변화되었다는 점에 주목하고, 아래는 2017년 이전까지 양극화의 추세를 보여주는 몇가지 숫자다.

1979년부터 2008년까지 30년간 우리나라 국민 소득은 크게 증가했지만 소득 하위 10%의 월소득이 약 100만원 증가할 때 상위 10%의 월소득은 약 900만원 증가했다. 상위 10%의 소득이 하위 10% 보다 약 9배 더 많이 증가한 것이다.

상위 10%의 월소득이 하위 10%의 월소득보다 얼마나 더 많은지 보여주는 배율도 1997년 외환위기 이후 증가했다. 1993년 6.8배에서 외환위기 이후 1998년 9.4배까지 올라 이후 한동안 9배 수준을 유지했다. 최근 통계청 자료로 보면 현재는 7배 정도다.

국세청의 통합소득 백분위 자료에 의하면, 우리 국민 상위 1%의 평균소득은 중위 소득의 15배다. 여기에 소득이 적어 과세대상 제외되는 과세 미달자 약 600만명 포함해서 보면, 중위소득은 대비 상위 1%의 평균소득은 약 23배가 된다.

 2007년 이후 2011년까지 5년간 상위 10%의 평균소득 증가액은 710만원이다. 국민 전체 평균소득 증가액 226만원의 3.1배다. 하위 10% 평균소득 증가액 40만원에는 17.7배다. 상위 10%의 소득이 전체에서 차지하는 비율 2007년 32.9%에서 2011년 34.3%로 늘어났다.

 한국의 소득불평등 정도는 OECD 국가들 중 최상위에 속한다. 한국도 미국의 뒤를 이어 빠르게 불평등도가 높아지고 더 큰 격차사회로 진입해 있다. 교육기획 격차, 건강격차, 사회적 이동성 축소 등이 불평등의 원인이고 다시 결과다.

−교육기회 격차

 전문가들은 대체로 한국은 OECD 국가들에 비해 공교육 비중 낮다고 한다. 상대적으로 사교육 비중이 높아서 재력에 따라 대학진학 기회도 달라진다고 지적한다. 사립 초등학교를 나와서, 국제중에 진학하고, 다시 특목고를 나와서 명문대로 이어지는 성공궤도가 있고 이 궤도를 올라타면 고소득 직업에 진입할 가능성이 커진다는 말이다.

 실례로 지배 엘리트라고 할 수 있는 법조계에서는 대원외고를 나온 현직 판검사가 이미 전통 명문고라는 경기고의 2배이상 많았다. 물론 고교평준화 이전 세대의 은퇴가 영향을 준 것이지만, 평준화 시대 특목고인 대원외고의 명성은 빈 말이 아닌 것이다. 계층 이동의 사다리가 끊어지고 기회와 격차가 구조화되는 것이 아닌지 우려가 높다. 여기에 더해서 한국의 대학등록금은 OECD 국가 중 미국에 이어 2번째로 높다.

개천에서 용 나오는 시대는 지났다는 말이 나온다. 서울대 학생들을 대상으로 설문조사를 해 자신이 상류층 가정에 속한다고 생각하는지 물었는데, 의대에서는 43%, 법대는 38%가 자신은 상류층 가정에 속한다고 답했다. 이는 일반적인 상황에서 자신을 상류층이라고 답하는 경우보다 매우 높은 수치라고 한다. 이것은 약 10년 전 언론보도다. 의전원과 로스쿨 제도가 시행된 지금 비슷한 조사를 한다면 교육기회 격차는 훨씬 더 심각하게 벌어져 있을 것이다.

사회의 양극화는 대기업과 중견 중소기업간 격차도 중요한 원인이다. 외환위기 이전 전체 일자리의 88%까지 차지하던 중견 중소기업이나 자영업의 일자리가 위축되고 불안해지면서 소득 양극화는 더욱 커졌다. 그렇다고 대기업의 일자리가 늘어나지도 않는다. 특히 외환위기를 거치면서 우리 대기업들은 고용형태를 바꾸거나 외주화를 통해 인력 부담을 벗었다. 1996년 전체 고용인구 중 1천명 이상 대기업의 고용비중이 13%였던데 반해, 외환위기 직후에는 5%로 떨어졌고, 이후 조금씩 늘었지만 7%~9% 사이에 머물고 있다.

조지프 스티글리츠가 『불평등의 대가』에서 미국사회를 해부하는 통계 숫자를 따라가다 보면 과연 미국이란 나라가 얼마나 국가 공동체를 지속할 수 있을지 심각한 의문을 품게 된다. 한국의 양극화와 불평등 수준이 미국에 버금간다는 평가를 받는다면 이제 이 거대한 흐름을 그냥 방치할 수는 없다.

−스티글리츠, 1 vs. 99

스티글리츠는 당면한 불평등의 문제를 이렇게 정의한다. '상위 1%의 이익추구 때문에 나머지 99%가 정당한 대가를 얻지 못하고 희생되고 있으며 그 불평등이 점점 심화되고 있어서 이대로 가면 미국 사회가 지속가능할 수 없다는 문제.' 노벨 경제학상을 수상한 스티글리츠는 자신의 주장이 좌파적 선동을 목적으로 하는 것이 아니라고 강조한다. 오히려 상위 1%에 의해 파괴되는 공동체를 회복하고 미국의 가치를 지키자는 이야기다.

현재 드러난 시장 경제의 가장 어두운 그림자 중 하나는 갈수록 악화되어 가는 불평등이라는 점은 누구도 부인하지 않는다. 선진국 중에서 빈부격차가 가장 크다는 미국이다. 불평등은 미국 사회의 사회적 통합과 경제의 지속 가능성을 훼손시키고 있다. 부유층은 갈수록 더 큰 부자가 되고, 나머지 계층은 아메리칸 드림과는 거리가 먼 심각한 곤경에 직면하게 되었다.

이런 불평등은 단순히 서브프라임 위기와 뒤이은 경기 침체에서 기인한 것이 아니다. 최근 30년 동안 꾸준히 심화되어 온 불평등은 이번 위기를 통해서 더 이상 무시할 수 없을 만큼 심각한 수준이 되었다고 본다.

'미국에서 상위 0.01퍼센트(약 1만 6,000가구)가 보유한 자산이 국민 소득에서 차지하는 비율은 1980년의 1퍼센트 남짓에서 현재는 거의 5퍼센트로 크게 늘어났다. 이 비율은 19세기 말 남북 전쟁 후의 대호황기에 상위 0.1 퍼센트가 보유했던 소득 비율보다 훨씬 크다.'(이코노미스트 인용)

─세 개의 명제

문제의식은 세개의 명제로 선명하게 드러난다. 첫째, 시장은 제대로 작동하지 않고 있었다. 누가 보기에도 시장은 효율적이지 않았고, 안정적이지도 않았다. 둘째, 정치 시스템은 시장 실패를 바로잡지 못했다. 셋째, 현재 경제 시스템과 정치 시스템은 근본적으로 공정하지 않다.

미국의 국부가 상위 계층에게 집중되는 것은 지대 추구(rent seeking)의 결과라는 본다. 그리고 이것은 정치 시스템의 문제로 규정한다. 불평등은 정치 시스템 실패의 원인이자 결과다. 불평등은 경제 시스템의 불안정을 낳고, 이 불안정은 다시 불평등을 심화시킨다. 스티글리츠는 '우리는 이러한 악순환의 소용돌이로 빨려 들어가고 있다. 여러 가지 정책들이 조화롭게 결합하여 시행될 때에만 우리는 이 소용돌이에서 빠져나올 수 있다.'고 한다.

─다시 0.01 vs. 99.9

악순환의 반복은 양극화를 더욱 심화시킨다. 궁극에 이

르면 극소수의 이익만 남게 된다. 상위 1퍼센트 안에서도 상위 0.1 퍼센트 소득자들이 차지하는 몫은 갈수록 늘어나는 것이다.

현재 삼성그룹이 가진 주가 총액이나 삼성그룹이 대기업들 안에서 차지하는 비중은 30년 전과 비교할 수 없을 만큼 커졌다. 그 사이에 우리나라 재벌 대기업들 사이에서 무슨 일이 있었던 것인가. 삼성의 경영혁신이나 과감한 신사업 투자와 같은 노력을 부정하는 것은 아니다. 그리고 대기업이 세계시장의 범위에서 새로운 사업영역을 개척하고 리딩하는 역할을 폄하할 생각도 없다.

그러나 다른 기업이나 그룹들은 그런 노력을 하지 않았거나 사업을 보는 안목이 좁았던 결과라고 생각하지 않는다. 지대추구가 용인되는 시장의 문제이고 크게 보면 정치 시스템의 문제다.

한국이 외환위기를 겪으면서 제조업이 재편되고 대규모 실업이 발생하고 구조조정이 상시화된 점을 강조하는 것과 달리, 미국은 대공황 때도 그랬지만, 위기의 정점에 금융위기가 있고 현재 양극화의 해법 중에 금융의 문제를 크게 강조한다. 폴 크루그먼도 금융 기관에 대한 규제 강화를 강력하게 옹호했다.

'소득의 과도한 집중은 진정한 민주주의와 양립할 수 없다. 우리 정치 시스템이 큰 돈의 위력 때문에 왜곡되고 있다는 것을, 소수가 가진 부가 점점 커져 감에 따라 이런 왜곡이 점점 심해지고 있다는 것을 어느 누가 부정할

수 있겠는가?'

－공동체의 통합과 지속성장 가능성

 우리나라에서 외환위기 이후 달라신 섯 중에 하나가 식
장인들의 상시적인 불안감과 피로감이 커진 것이다. 작
은 조직에서도 잘 뭉쳐지지 않고 개인주의가 심화되었
다. 각자도생이라는 말이 유행했다. 사람들이 일상에서
느끼는 공동체의 일체감이 떨어지기 시작한 시기가 외
환위기 이후이고 이 때가 불평등이 커지고 성장이 둔화
된 시기다.

 불평등과 공동체의 통합력, 그리고 성장 사이에는 밀접
한 관계가 있다. '우리는 경제 성장의 장기적인 지속은
소득 재분배의 평등성 확대와 깊이 연관되어 있다는 것
을 확인했다.'(IMF 연례보고서, 2011) 불평등의 축소와
지속적인 성장은 동전의 양면이다.

 스티글리츠나 대부분의 진보주의자들이 지향하는 것
은 완전한 평등이 아니다. 완전한 평등이 경제적 유인
(incentive)을 약화시킨다는 것은 이미 오래 전에 확인
된 사실이다. 스티글리츠가 의문을 제기하는 것은, '불평
등 수준을 조금 낮춘다고 해서, 그 경제적 유인이 얼마나
약화되느냐'는 것이다.

 불평등 수준이 완화되면 오히려 생산성이 향상된다는
주장과 증거는 많다. 다시 말해, 불평등이 불가피한 정도
를 넘어서게 되면 경제의 성장 잠재력을 잠식하고 결국
경제 위기를 불러온다는 이야기다. 그래서 불평등을 완

화시켜 경제를 다시 번영의 기반 위에 올리자는 것이다.
반면 이런 불평등이 불가피한 것은 아니지만 불평등 해
소 대책을 적극적으로 도입하는 데는 큰 대가가 따른다
는 주장도 있다. 자본주의의 기적을 이루기 위해서는 심
각한 불평등은 불가피하며, 심지어 이는 자본주의 경제
의 필연적 특징이라고 생각한다.

물론 불평등은 실제로 불가피하다. 하지만 스티글리츠
는 불평등이 심화되는 시기에는 경제 성장이 둔화되었
고, 대부분의 미국인들에게 돌아가는 파이 조각의 크기
는 갈수록 줄어들었다며 미국의 심각한 불평등과 이런
불평등을 초래한 방식이 성장을 저해하고 효율성을 떨
어뜨리고 있다는 것을 증명한다.

－비판과 재비판

소득 재분배를 비판하는 사람들은 재분배는 사회적으
로 비용이 지나치게 크다는 주장도 한다. 소득세나 재산
세, 상속세 등 세금 인상을 통한 재분배 정책은 생산자의
의욕을 꺾는 효과가 지나치게 크기 때문에, 중하위 계층
이 누리는 편익이 상위 계층이 부담하는 비용을 상쇄하
지 못한다는 주장이다.

흔히 재분배를 통해서 설사 불평등이 개선된다 해도, 성
장이 둔화되고 국내 총생산이 감소하는 결과가 따른다
고 한다. 소득 불평등을 바로잡으려는 시도는 아무리 잘
해봐야 '황금알을 낳는 거위를 죽이는' 일에 불과하며 미
국 경제를 약화시키고 결국 빈곤층에게까지 고통을 안

겨준다는 말이다.

스티글리츠는 현실은 정반대라고 한다. 불평등이 광범위하게 퍼져 있는 사회는 효율적으로 움직이지 못하고, 그 경제는 장기적으로 안정성과 지속성을 확보하지 못한다는 점을 실증적으로 보여준다.

애덤 스미스는 개인적인 이익 추구는 마치 보이지 않는 손처럼 만인의 행복을 창출한다고 주장했다. 애덤 스미스가 가정했던 대로 시장이 원활하게 작동한다면, 그것은 개인의 이익과 사회의 이익이 일치하기 때문이다. 다시 말해 개인이 받는 보상과 개인이 사회에 미치는 기여가 일치하기 때문이다. 개별 노동자의 사회적 기여는 개인이 받는 보상과 정확히 일치해야 한다. 생산성이 높은(사회적 기여가 큰) 사람들은 더 높은 임금을 받는다.

그러나 2008년 금융위기 이후 금융회사와 금융업자들이 받은 수혜를 생각하면 어느 누구도 금융업자들의 사회에 대한 기여와 그에 대한 보상이 일치하거나 적합하다고 말하지 못할 것이다. 또한 금융업자의 개인적인 이익 추구가 만인의 행복으로 이어진다고 주장하지 못할 것이다.

— 낙수효과, 세계화

이명박 정부에서부터 많이 듣던 이야기가 낙수효과다. 대기업과 상위층에 돈이 많이 남으면 투자도 하고 일자리도 생긴다는 것이다. 이 가설은 틀린 것으로 증명되었고, 이제는 과거의 신화로 취급된다. 스티글리츠도 이를 비판하면서 분수효과를 말한다.

'낙수(trickle-down) 경제 이론은 아무런 효과를 내지 못하는 데 반해서, 분수(trickle-up) 경제 이론은 효과를 낼 수 있다. 하위 계층과 중위 계층의 소득이 늘어나면 모든 계층, 심지어 상위 계층도 혜택을 볼 수 있다.'

우리가 1997년 외환위기를 중요한 변곡점으로 보는 또 하나의 이유는 그 때부터 세계화가 본격적으로 시작되었다는 점 때문이다. 스티글리츠 역시 불평등이 확산되는 이유 중의 하나로 세계화를 든다. 세계화는 모두에게 이익이 된다는 주장에는 두 가지 중요한 가설이 들어 있다. 하나는 세계화가 달성되면 각국의 총생산(GDP)이 늘어난다는 가설이고, 다른 하나는 국가 총생산이 증가하면 낙수 효과 때문에 모두가 이익을 본다는 가설이다. 이미 본 바와 같이 둘 다 틀린 가설이다.

세계화의 시대가 되면서 시장 가치의 창출과 고용 창출의 상관관계는 무너졌다. 또한 상위층에게 더 많은 부를 제공한다고 해서 국내 투자가 늘어나는 것도 아니었다. 삼성전자와 현대자동차의 제조공장 중 가장 큰 공장은 모두 해외에 있다. 또 해외투자는 진행 중이다. 대기업을 따라 해외로 나간 무수한 중소기업의 투자까지 합하면 국내 일자리와 투자에 미치는 영향을 가늠할 수 있을 것이다.

스티글리츠를 비롯한 미국인들은 세계화를 반대하지는 않는다. 세계화 자체가 나쁜 것이 아니라고 한다.

‘각국 정부들이 세계화를 부실하게, 즉 특수 이익집단에게 유리한 방향으로 관리하고 있다는 것이 문제다. 세계 각지의 사람들과 사람들을, 국가와 국가를, 경제와 경제를 연결시키는 세계화는 상호 번영을 촉진하는 데도 이용될 수 있지만, 탐욕과 고통을 확산시키는 데도 효과적으로 이용될 수 있다. 시장 경제 역시 마찬가지다. 시장의 힘은 엄청나다. 그러나 시장은 도덕성을 가지고 있지 않다. 따라서 우리는 시장을 어떻게 관리할지 결정해야 한다.’

─민주주의의 문제
 경제사학자 킨들버그는 『경제 강대국 흥망사』에서 ‘소득분배의 비대칭성이 더 커지는 것은 사회적 통합이 상실된 결과이자 임박한 쇠퇴의 징후’라고 했다. 불평등은 불안정을 야기한다. 스티글리츠는 불평등이 불안정을 야기하는 것은 어찌 보면 필연적인 것이 아니라고 한다. 규제 완화 정책이나 총수요 부족의 대처 방안으로 흔히 채택되는 정책들이 오히려 문제를 확대시키기 때문에 불평등은 제어되지 않고 불안정이 커진다는 것이다. 정치의 실패를 복구할 민주주의가 필요하다. 불안정은 불평등의 필연적인 결과가 아니다. 민주주의가 효율적으로 작동한다면, 규제 완화에 대한 금융권의 정치적 요구는 사전에 저지되거나 관리될 것이다. 동시에 위기를 부른 거품을 만들지 않고도 지속적인 성장을 가능케 하는 발법으로 총수요 부족에 대처할 수 있을 것이다.

스티글리츠는 시장이 실패했고, 시장 자본주의는 불평등, 환경 오염, 실업을 낳았고, 무엇보다도 모든 것이 용인되고 어느 누구도 책임을 지려 하지 않는 가치의 타락을 낳았다고 한다.

시장의 실패는 정치의 실패와 밀접하게 연관되어 있다. 시장은 진공 상태에 놓여 있는 것이 아니고 시장은 정치의 영향을 받기 때문이다. 그런데 정치는 대개 상위 계층에게 혜택을 주는 방향으로 시장에 영향을 미친다. 정치 시스템이 상위 계층의 이익에 민감하게 반응하기 때문에 경제적 불평등이 심화되는 것이다. 스티글리츠는 정치와 경제의 사악한 결합이라고 말한다.

"정치는 국가 경제의 파이를 어떻게 배분할 것인가를 둘러싸고 싸움이 벌어지는 곳이다. 오늘날 정치라는 싸움터에서 승승장구하는 것은 상위 1퍼센트다. 이것은 제대로 된 민주주의가 아니다."

4. 편향과 과신이 성공하는 시대의 민주주의
「생각에 관한 생각」 대니얼 카너먼

－빛나는 생각

휴리스틱(heuristic) : 고정 관념에 기초한 추론적 판단.

우리는 자신이 경험했거나 들은 정보를 이용한 판단을 '가용성 휴리스틱'이라고 명명했다.

우리가 적절한 통계적 사실을 얼마나 쉽게 무시하고 간과하는지도 알려준다.

인간의 사고가 시스템적 오류에 취약하다는 생각은 일반적으로 인정되고 있다.

감정이 우리의 직관적 판단과 선택을 이해하는 데 훨씬 더 큰 비중이 커졌다는 사실이야말로 중대한 발전이다.

감정 휴리스틱 : 숙고나 논리와 상관없이 호불호의 감정에 직접적인 영향을 받는 휴리스틱.

어려운 질문에 직면했을 때 우리는 종종 그 질문을 인식하지 못한 채 더 쉬운 질문에만 대답한다.

시스템 1 : 거의 혹은 전혀 힘들이지 않고 자발적인 통제에 대한 감각없이 자동적으로 빠르게 작동한다.

시스템 2 : 복잡한 계산을 포함해서 관심이 요구되는 노력이 필요한 정신 활동에 관심을 할당한다. 활동 주체, 선택, 집중에 대한 주관적인 경험과 연관되어 작용하는 경우도 잦다.

 시스템 2는 자동 주의와 기억의 기능들을 프로그래밍 함으로써 시스템 1의 작동 방식을 바꿀 수 있는 능력을 가지고 있다.

 우리는 명백한 것조차 못 볼 수 있으며, 자신이 못 본다는 사실을 모를 수 있다.

 시스템 1은 시스템 2를 위해서 인상, 직관, 의도, 느낌 등을 지속적으로 제안한다. 시스템 2의 승인을 받으면 인상과 직관은 믿음으로 바뀌고, 충동은 자발적 행위로 변한다.

 시스템 2는 우리의 행동을 지속적으로 감시한다.

 시스템 1은 특정 상황에서 발생하는 오류를 갖고 있는데, 바로 '편향'이다.

 시스템 2가 하는 일들 중 하나는 시스템 1의 충동을 억누르고 극복하는 것이다. 이처럼 시스템 2는 자제력을 책임진다.

 정신적으로 전력을 다할 때 우리는 사실상 눈 뜬 장님이 된다.

 빠른 걸음으로의 전환은 논리 정연하게 생각할 수 있는 능력을 급격하게 저하시킨다.

 까다로운 인지작업과 유혹의 도전을 동시에 받는 사람들은 유혹에 굴복할 가능성이 더 높다.

 시스템 2가 바쁘면 시스템 1이 행동에 더 많은 영향을 미치는데, 그 시스템 1은 단 것을 좋아한다.

 자아 고갈(ego depletion) : 억지로 뭔가를 하도록 자신을 독려한다면, 다음 도전이 닥쳐왔을 때 자제력을 발휘하려 하지 않거나 그럴 수 있는 능력이 줄어드는 현상.

 힘든 인지적 추론에 적극 개입하거나 자제력을 요하는 일을 할 때 혈당 수치는 떨어진다. 포도당 섭취로 자아고갈의 효과를 약화시킬 수 있다.

 사람들은 어떤 결론을 사실이라고 믿을 때 결론을 뒷받침하는 듯한 주장까지도 덩달아 쉽게 믿어버린다.

 우리는 두뇌뿐만 아니라 몸으로 생각한다.

 점화 효과 : 시각적으로 먼저 제시된 단어가 나중에 제시된 단어의 처리에 영향을 주는 현상. 우리는 자신의 행동과 감정이 전혀 모르는 사건들에 의해 점화될 수 있다는 낯선 생각을 받아들여야 한다.

 연상 네트워크 내에서는 '상호 연결'이 흔히 발생한다.

 우리는 즐거우면 미소를 짓는데, 미소를 지으면 즐거워지기도 한다.

 유리하게 인지적 편안함을 활용하는 건 전적으로 타당하다. 명심하라. 시스템 2는 게으르며, 정신적 노력은 회피적 성격을 띤다는 사실을. 가능하다면 전달하고자 하는 메시지를 간결이 하라. 수용자들이 수고하고 노력해야 할 듯한 일이라면 무엇이든지 찾아내어 간소화해야 한다.

 인지적 편안함을 높이는 조작(점화, 분명한 글씨체, 노출 전 단어들)은 모두 단어들을 연관된 것으로 보려는 경향을 높여 줬다.

 좋은 분위기일 때 사람들은 더 직관적이고 창조적이 되는 반면, 경계를 풀고 논리적인 오류에 빠져들 확률이 높아진다.

시스템 1은 속기 쉽고 무엇이든 믿으려는 경향을 보이는 반면 시스템 2는 의심과 의혹을 주도하는 역할을 한다.
 정보가 부족하면 시스템 1은 서둘러 결론을 내리기 위한 기계로 작동한다.
 한쪽 정보만 본 참가자들은 양쪽 증거를 모두 본 참가자들에 비해 더 자신 있게 판단하는 모습이었다.
 시스템 2는 시스템 1의 감정들을 비판하기보다는 옹호하는 성향이 더 강하다.

 인간은 자신이 보는 것의 지속성과 정합성을 과장하는 경향이 있다. 서둘러 결론 내리기를 좋아하고, 어려운 질문을 받으면 마음대로 쉬운 질문으로 바꾸어 이해하려 한다. 의심을 지속하기 어려워하고, 과장된 믿음을 발휘한다.
 시스템 1의 주요 특징들
●인상, 느낌, 성향을 만든다. 시스템 2의 승인을 받으면 이들은 믿음, 태도, 의도로 변한다.
●거의 혹은 전혀 노력하지 않으며 자발적 통제 없이 자동적으로 신속히 작동한다.
●시스템 2에 의해 특정 패턴이 감지되면 그것에 주의를 기울이게 프로그래밍 된다.
●적절한 훈련을 받으면 숙련된 대답을 하고 숙련된 직관을 발휘한다.
●연상 기억 속에서 활성화된 생각들에 대해 정합적 패턴을 창조한다.
●인지적 편안함의 느낌을 진실의 착각, 즐거운 기분, 경계감

완화와 연결시킨다.

- 놀라운 것과 평범한 것을 구분한다.
- 이유와 의도를 추론하고 생성한다.
- 모호함을 무시하고 의심을 억제한다.
- 믿고 확인하려는 경향이 강하다.
- 감정적 정합성을 과장한다.(후광효과)
- 기존의 증거에 집중하고 없는 증거는 무시한다.
- 제한적인 기본적 평가만 수행한다.
- 기준과 원형에 의해 집단을 반영하고 통합하지 못한다.
- 여러 범위를 망라해 강도를 맞춘다.
- 의도한 것 이상으로 계산한다.
- 가끔 어려운 문제를 쉬운 문제로 대체한다.
- 정적인 상태보다 변화에 더 민감하다.
- 낮은 개연성에 과도한 무게를 둔다.
- 양에 덜 민감하다.
- 득보다 실에 더 강력히 반응한다.(상실 기피)
- 결정 문제들을 서로 별개로 떼어놓으며 문제를 보는 프레임을 좁게 가져간다.

—예상할 수 있게 비합리적인

행동주의 경제학은 주류경제학이 한계에 봉착한 것으로 보이던 20세기 말부터 강력한 대안 경제학으로 자리잡았다. 장하준 교수가 극찬한 허버트 사이먼 교수, 넛지 이론으로 유명한 리처드 탈러 교수, 노벨 경제학상을 받은 대니얼 케너먼 교수, 그리고 케너먼과 공동 연구자였던 아모스 트버스키 교수 등이 행동경제학을 대표하는 학자들이다.

—생각, 빠르고 느린

행동경제학의 기초를 닦은 대니얼 케너먼 교수의 이야기를 우선 들어 볼 필요가 있다. '생각에 관한 생각'이란 제목으로 국내에서 번역된 그의 책 원제는 '생각, 빠르고 느린'(Thinking, Fast and Slow)이다.

케너먼은 주류경제학의 기본 전제인 "합리적 인간의 합리적 선택"에 의문을 제기하면서 다양한 실험을 통해 인간은 "비합리적이거나 제한적으로 합리적"임을 밝힌다. 주류경제학의 "기대효용이론"의 근거를 비판하면서 "전망이론"(Prospective Theory)을 제시했다. 인간의 강한 손실회피 성향을 논증한 전망이론으로 2002년 노벨 경제학상을 받았다.

출발은 역시 사람과 사람의 생각에 대한 이해다. 사람의 머릿속 생각체계는 두 가지로 나누어진다. 제1사고체계는 빠르고 직관적이다. 반면 제2사고체계는 논리나

연산이 필요한 느린 사고체계로, 집중과 선택과 의도가 개입되는 체계다.

그런데 제1사고체계가 사람들의 대다수 판단을 지배하는 기본적인 사고체계다. 그래서 사람들의 생각과 판단에는 한계가 있고 많은 문제가 생긴다는 것이다. 감각적이고 자동적이며 충동적인 생각이 지배할 수 있고, 무의식에 반영되어 즉각적인 반응이 나오는 영역이기 때문이다. 제2사고체계는 제1사고체계에서 해결이 안 될 때 가동된다고 한다.

－자본주의의 동력

기업가의 직관이 빚어낸 자본주의의 동력에 대한 케너먼의 설명이 재밌다. 자본주의는 기업가들의 낙관편향과 과신을 동력으로 한다. 낙관주의는 자본주의에 축복이면서 동시에 커다란 위험이다. 낙관주의 기업가들은 온갖 장애물들을 뚫고 전진할 수 있는 의지를 가지고 있다. 그래서 목표를 향해 곧장 직진한다. 크고 작은 실패에도 좌절하지 않고 회복력도 강할 것이다. 이런 낙관주의에 편향을 줄이고 현실 감각을 잃지 않는다면 자본주의에 커다란 축복이 아닐 수 없다.

또한 자본주의는 과신(Overconfidence)을 선호한다. 과신을 선호하는 사회와 과신을 선택하는 시장에서는 낭연히 과도한 자신감을 보이는 기업가가 성공할 가능성이 높다. 시장에서 사람들은 합리적이고 숙고하는 사람을 좋아하지 않는다. 자신이 직관과 인지를 용이하게 할 만큼 신뢰를 주는 사람을 좋아한다는 말이다.

자본주의의 동력인 낙관편향과 과신은 제1사고체계의 결과물이다. 그것이 사회체계에 긴밀히 결합되어 있기 때문에 극복되기 어려울 것이다. 다만 그것은 제2사고체계와 다양한 자기 검증, 반대 가설 검토 등을 통해서 부분적으로 보완이 가능할 것이고 실제로 그렇게 되고 있다고 봐야 한다.

－전문가의 착각

케너먼 교수는 어림짐작, 편향, 과신 등과 같은 개념으로 다양한 오류의 양상을 설명한다. 그 중에서 전문가의 착각이 눈에 띈다.

우리는 사회에서 벌어지는 많은 문제를 대할 때 저마다 자신의 생각이나 입장을 정하려 하는 경우가 많다. 경제적이든 정치적이든 자신의 욕망 실현에 유리한 생각을 하려고 하고 그 때 전문가의 판단에 의존하려는 경향이 있다. 그런데 전문가의 판단을 과연 어디까지 믿을 수 있을지는 항상 의문이다.

케너먼 교수는 전문가의 착각이라는 이름으로 실험 사례를 설명한다. 미국에서 방송이나 언론에 나오는 전문가 284명을 대상으로 조사를 했다. 자신의 전문분야와 비전문분야에 대해서 모두 질문을 주고 답을 받았다. 그 결과는 보통 사람들이 막연히 추측한 답보다 정확성이 떨어졌다. 전혀 신뢰할 만한 답을 못 낸 것이다. 다만 그

논평가들은 결과에 대한 변명을 기가 막히게 잘했다. 결코 자신의 잘못도 인정하지 않았다.

 반면 사건의 이면에 대해 알 수 없는 부분을 고려하고 다양한 요소의 상호작용을 충분히 고려해야 한다고 답하는 전문가들은 방송에 적합하지 않다는 평가를 받는다. 사람들은 자신이 직관적으로 판단할 수 있는 정보를 답변으로 주는 평론가를 선호한다는 것이다.
 물론 이것이 전문가들만의 잘못은 아닐 것이다. 그만큼 세상이 복잡하기도 하고, 언론은 사람들이 생각하고 행동하는 패턴과 동조하는 정보가 필요할 것이고, 인간이 현재의 자본주의 사회를 유지해 나가는데 필요한 정보의 소비 양태를 쉽게 수정하기 어렵기 때문일 테다. 그럼에도 불구하고 전문가들은 자신의 한계를 정확히 인식하고 자신의 직관에 오류가 있을 가능성을 언제나 성찰하고 신속히 바로잡는 용기도 가져야 할 것이다.
 전문가에 대해 생각해 볼 문제는 더 있다. 우리가 주식을 사고 팔 때 어느 쪽에서든 전문가의 판단에 의지하는 때가 많다. 그런데 문제의 주식을 지금 사라고 조언하는 전문가는 주식이 저평가되어 있다고 판단하는 것이고, 반면 지금 그 주식을 팔아야 한다고 조언하는 전문가는 고평가되어 있다고 판단하는 경우일 것이다. 그럼 양쪽 두 전문가의 판단은 왜 다른 것인가 당연한 의문이 제기될 수 있는데, 판단의 합리적인 근거를 찾기 어렵다고 한다. 이것은 전문가의 직관에 영향을 받은 것으로 볼 수밖에 없다는 것이다. 그래서 우리는 전문가의 직관을 언제 신뢰할 수 있을 것인지 따져봐야 한다.

−전문가의 영역과 알고리즘

케너먼은 진짜 전문가는 자기 직관의 오류가능성, 지식의 한계를 인정하는 것이 우선 필요하다고 본다. 그리고 전문가의 직관은 매우 제한적인 영역과 제한적인 조건에서만 효과가 있다. 즉 자신의 한계를 인정한다는 전제에서 충분히 규칙적인 환경에 있어야 하고, 충분히 예측가능한 상황이어야 하고, 또 그 규칙성에 따라 오랜 시간 연습이 되어있어야 한다. 이런 조건에 충족되는 전문 영역 속에서 오랜 시간 충분한 연습을 거쳐서 신뢰할 만한 직관을 얻을 수 있는 직군으로 의사, 간호사, 소방관, 운동선수, 바둑기사 등을 예로 든다.

그 외의 경우에는 직관보다는 그 직군에서 잘 만들어진 공식이나 알고리즘에 의존하는 것이 더 정확한 판단에 이를 수 있다. 얼굴을 보니 호감형이라서 영업직으로 배치하거나, 험상궂은 인상이니까 용의자로 보거나, 이전의 경험을 기준으로 새로운 현상의 결과를 예단하는 것은 인지적 편안함을 구하는 잘못된 직관이다. 이런 경우는 얼굴을 보고 마음에 들어도 눈을 감아야 한다. 자신의 앞선 경험도 덮어두어야 한다. 그 직군에서 잘 연구된 공식이나 알고리즘에 따라 판단하는 것이 오히려 더 정확한 결과를 기대할 수 있다.

한정된 증거와 선험적인 사례만으로 직관적인 사고에

의존한 판단을 하고 그 결정을 마치 자신의 전문가적 판단인양 과신하는 경향은 매우 위험하다. 특히 조직이나 사회에서 중요한 역할을 하는 전문가라면 자기 오류가 가져올 엄청난 후과를 언제나 경계해야 한다.

─공적 전문가 집단의 편향과 과신

2019년 가을은 우리 사회에 무거운 숙제를 남겼다. 법률 테크노크라트라고 할 수 있는 검찰 권력에 대한 개혁이 강력한 저항에 부딪혀 있다. 일견 검찰과 주류 언론, 그리고 기득권 정치세력이 뭉쳐서 개혁에 반대하고 나선 모양새다.

현재의 검찰 권력은 민주국가의 권력집행기관으로는 어울리지 않을 만큼 집중되고 독점되어 있어서 국민의 인권이 무시되는 사례가 많다. 또한 검찰 스스로를 수사하거나 기소하기 어려운 구조여서 검사의 각종 범죄가 제대로 수사되거나 처벌되지 않는다는 여론의 비판을 받고 있다. 한국에서 군정이 종식되고 군대가 민주적 통제 하에 들어가고 나서 사실상 민주적 통제 밖에 남아 있는 권력은 검찰이라는 말이 나올 정도다. 국민들은 인권보호와 민주적 통제가 보장되는 새로운 사법제도를 요구한다.

그런데 외관상 첫 전선은 법무장관의 가족 또는 개인적인 비위여부에 대한 검찰의 수사로 그어졌다. 국민들은 개혁을 수행할 법무장관의 개인적인 무결성을 어디까지 요구할 것인지 문제를 제기했다. 헌법상 대통령의 국무위원 임면권이 검찰 권력에 의해서 간섭 받는 초유의 일이 벌어졌다. 결국 선출된 권력의 개혁의지를 수임한 법무상관이 중도에 하차했다.

이제 다시 더 큰 권력의 문제로 돌아왔다. 공익을 대변하는 법률 전문가 집단인 검찰의 판단과 행동이 과연 공익에 기반한 것인지, 그에 합당한 사고와 판단의 과정을 거친 것인지 심각한 우려를 드러냈다. 또한 여론과 공론의 장을 책임져야할 언론의 보도 태도는 지나치게 편향적이고 일방적이라는 비판을 피하기 어려웠다.

개혁을 반대하는 세력이라는 정치적 의도성을 제거하고 보더라도, 우리 사회 책임 있는 전문가 집단의 태도로 합당치 않다. 케너먼의 말을 빌리자면, 검찰과 언론 전문가 집단의 생각은 전형적으로 확증편향, 어림짐작, 점화효과와 인지적 게으름의 발로라고 볼 수밖에 없다. 또한 이러한 자기 직관의 한계를 전혀 인정하지 않고 과도한 자신감을 내세우는 행동을 보여주고 있다. 이러한 상황은 사람들에게 심각한 당혹감을 준다. 이 영역에서 전문가의 직관적 판단이 얼마나 합당한 것인지, 이미 검증된 강력한 공식이고 알고리즘인 헌법과 법률에 따른 판단이고 행동인지, 국민주권을 선언한 민주공화국 국민으로서 당혹감이다.

정치는 2019년 가을 국민들이 던진 숙제를 해결해야 한다. 개혁의 방향성을 놓치지 않아야 한다. 대의기관이 스스로 개혁의 동력을 강화하고 동시에 국민들의 통합된 생각과 힘을 추진력으로 삼아야 한다. 국민주권을 실현하는 제도는 국민주권의 원리로 만들어야 한다.

─대의민주주의 제도와 광장의 생각

정치는 전문 영역이 아니다. 정치인 개인은 전문가일 수 있지만 정당과 정치인의 자기 역할은 전문가일 수 없다. 국민의 의사를 대의하고 국가 공동체의 통합력을 높이는 역할을 해야 한다. 대리인과 같이 주인인 국민에 충성하고 지도자와 같이 공동체의 통합에 헌신하는 것이 덕목일 뿐이다. 또한 다양하고 역동적인 국민의 의사와 통합의 쇄신을 바라는 국민의 요구를 생각하면 정치 자체를 전문영역으로 보는 것도 어불성설이다.

대의민주주의 하에서 대의기관인 선출된 정치인은 국민의 추정적 의사를 대변(대의)한다. 프랑스 혁명기에 처음 대의제를 설계한 사람들은 추정적 의사가 국민들의 구체적 의사에 비해서 편향이 적은 합리적인 의사라고 생각했다. 근대 이후 민주주의의 철학적 기초가 된 생각이다.

"정책은 궁극적으로 사람에 관한 것이고, … 모든 정책에는 인간 본성에 관한 추정이, 특히 사람들은 어떤 선택을 하고 그 선택은 그들과 사회에 어떤 결과를 가져올 것인가에 대한 추정이 들어가게 마련이다."(다니엘 케너먼)

20세기 후반부터 대의제의 위기 현상이 중요한 정치 의제가 되었다. 우리나라만의 문제가 아니다. 정치인이 대의하는 추정적 의사가 실제 국민들이 갖는 구체적 의사와 자주 충돌하기 때문이다.

대의제에 대한 불만은 흔히 광장 민주주의로 느러난다. '주인과 대리인의 문제'가 오래된 인간사의 문제인 것처럼, 대의기관의 추정적 의사와 국민들의 구체적 의사가 충돌하는 것은 대의제의 본질적 문제다. 그리고 그것은 민주주의 헌법 안에서 해소되는 방법이 예정되어 있다. 선거제도와 임기제가 그것이다.

관건은 이 문제가 헌법에서 보장된 제도로 해결되고 있는지 아니면 여전히 국민의 불만을 해소하지 못하는지 여부다. 다시 말해, 국민들이 선거를 통해 자기 대표를 의회에 보내거나 자기 대표를 합당하게 교체할 수 있는지, 아니면 교묘한 제도의 미로와 허들 때문에 그것이 어려운 것인지 문제다. 당면한 선거제도 개혁을 비롯한 정치개혁 요구의 핵심이기도 하다.

또한 정당민주주의를 보장하는 우리나라에서 국민의 구체적 의사와 추정적 의사를 끊임없이 반추하고 조응할 수 있도록 하는 것은 정당의 역할이기도 하다. 정책을 개발하고 의회를 견인하거나 국민의 눈높이에 맞는 공직 후보자를 발굴하고 선발함으로써 그 역할을 수행할 수 있다. 폭넓은 소통을 통해 국민의 구체적 의사를 받아서 점검하는 일을 게을리 하면 안 된다.

─광장 민주주의의 진화

그럼에도 불구하고 광장의 의사는 이전과 다른 새로운 의미를 갖는다. 정보통신의 발달과 SNS의 보편화로 집단지성과 지혜가 실효성을 갖기 시작했다. 그리고 시민들의 조직된 힘이 온-오프라인을 넘나들면서 또 하나의 정치세력이 되거나 정치적 의사표시의 공식적인 주체가 되고 있다. 광장의 의사가 이전과는 질적으로 다른 차원으로 올라온 것이다. 이렇게 진화한 광장의 민주주의를 어떻게 제도적으로 수렴할 것인지도 당면한 정치과제다. 촛불혁명의 경험을 소중하게 생각하는 이유다.

그럼에도 불구하고 희망을 이야기해야 한다.

희망은 옳다.

세상은 빠르게 변하지만 방향을 몰라 어지럽고, 여전히 고단하다.

불안한 우리 일상은 변할 것 같지 않다.

누군가 희망을 말해야 한다면, 그리고 그 희망에 공동체의 열정을
모아야 한다면, 정치가 그것을 해야 한다.

미국 대통령 선거 민주당 후보 중 앤드류 양이라는 사람이
주목을 받고 있다.

기본소득인 자유배당금 공약 때문이다.

재원 확보 방안까지 구체적으로 이야기하고 있다.

산업과 환경은 급변하고 있다. 희망을 설득하고 준비하지 않는다면,
또 다른 불행은 우리를 지나치지 않을 것이다.

정치는 더 좋은 사회경제시스템에 대한 희망이요,
그 희망을 설득하는 것이다.

2장

정치는

희망을

설득하는 것이다

1. 자유의 신장과 경제 성장은 같이 간다

「21세기 기본소득」 필리프 판 파레이스, 야니크 판데르보흐트

─빛나는 생각

위기를 기회로, 체념을 결심으로, 고통을 희망으로 바꾸기 위해서는 모종의 비전이 필요하다. 기본소득은 그러한 비전을 구성하는 결정적인 요소다.

기본소득은 한 사회의 모든 성원 개개인들에게 그들이 다른 소득 원천이 있든 없든 아무 조건도 내걸지 않고 현금의 형태로 정규적으로 소득을 지급하는 것이다. 기본소득은 보편적이고 무조건적이다.

기본소득 제도는 그들 모두에게 안전하게 설 수 있는 발판을 제공한다. 보편적인 기본소득이 주어지게 되면 현재 실업 함정에 빠져있는 사람들도 일자리를 찾고자 하는 동기가 더 커지게 될 것이며, 고용주들 또한 그들을 고용할 동기가 더 커지게 될 것이다.

기본소득은 경제 상황과 연계되지 않고 각 개인에게 주어진다는 점에서 개인적 수급권이며, 소득 조사 혹은 재산 조사가 필요 없다는 점에서 보편적이다. 또한 일을 할 의무와 연계되거나 일을 할 의사를 증명할 필요가 없다는 점에서 아무 의무도 부과되지 않는 것이다.

기본소득은 지급의 정기성만 중요한 것이 아니다. 지급액은 충분히 안정적이어야 한다. 기본소득은 대출의 담보로 삼을 수 없도록 규칙을 정하는 것이 가장 합리적이다.

우리는 일단 어느 국가에서나 현행 1인당 GDP의 1/4 정도 액수를 선택하자고 제안할 것이다.

만인에게 더 큰 자유를 성취하는 것에 우선성을 부여한다면 일반적으로 현금 분배가 더 낫다는 전제가 따라오게 된다.

결핍으로부터 자유를 달성하는 데 드는 비용은 조건부 수당 제도보다는 기본 소득 쪽이 싸게 먹힌다고 봐도 무방하다.

최저소득 제도가 제공하는 안정망은 마땅히 지키고 보호해야 할 많은 이들을 놓치고 있으며, 게다가 그 속에서 보호받는 이들 중 다수가 함정에 빠져 헤어 나오지 못하고 있다.

사람으로 하여금 일을 하고 또 일을 잘하고 싶도록 만드는 동기는 다양하고 많으며, 그것들 모두는 기본소득 시스템 아래에서 더 큰 견인력을 가질 수 있다.

기본소득은 비용이 아니라 투자다.

만인의 자유를 고려하고 모두에 현실적 기회를 제공하는 것이 주된 관심사라면, 매달 1000달러의 기본소득을 주는 쪽이 그에 맞먹는 액수인 한 번에 25만 달러의 목돈을 주는 것보다 훨씬 더 나은 선택이 된다는 것이 분명하다.

소득이란 부분적으로는 노동에 대한 보상으로 분배되어야 하며 또한 부분적으로 국가가 모든 시민에게 사회적 배당금으로서 직접 지급하는 것으로 분배되어야 한다. 사회적 배당금이란 모든 시민 한 사람 한 사람이 생산력의 공동 상속물을 소비자로서 나눌 권리가 있음을 인정하는 것이다. 그 배당금의 크기를 가능한 신속하게, 모든 시민의 최소의 필요 전체를 충족할 만한 크기로 만들자는 것이 우리의 목표가 되어야 한다.(조지 콜)

 나는 이제 가장 단순한 접근법이 가장 효과적인 것이라고 확신하게 되었다. 빈곤에 대한 해결책은 오늘날 널리 논의되고 있는 조치인 보장소득을 통해 직접적으로 빈곤을 없애는 것이다.(마틴 루터 킹 목사. 이제 어디로 갈 것인가?)

 알래스카 영구펀드 : 1982년 시행. 알래스카의 천연자원의 주인이 주 정부가 아니라 알래스카 시민들 자신이라고 명시한 주 헌법에 기반을 둠. 석유 수입의 일부를 투자하는 펀드를 조성해 그 부가 미래 세대들을 위해 보존되도록 보장. 알래스카에 최소한 1년 이상 거주한 사람은 누구든 동일한 액수의 연간 배당금을 받을 자격이 주어진다. 2015년 63만 7천 명의 지원자들이 자격을 부여받았다. 알래스카 영구 펀드의 지난 5년간 평균 금융 수익의 일정 부분. 2008년 2069달러, 2012년 900달러, 2015년 2072달러. 알래스카 1인당 GDP의 3% 정도.

 인구의 90%가 일을 해야 의식주 등의 기본적인 필요를 모두에게 충족시킬 수 있었던 사회에서 벗어나 이제는 인구의 10%만 일해도 충분한 사회가 되었다.

 사실 현재의 생산력이란 최신 생산기술에 구체화된 진보와 교육에 통합된 창의력과 숙련이라는 사회적 유산에 현 시점의 사람들이 흘린 땀이 결합되어 나타난 결과물이다. 따라서

이 공동의 유산이 창출한 부분은 모든 시민들에게 한몫씩 돌아가야 마땅하며, 이러한 배분이 먼저 이루어진 뒤에 남은 것들은 현 시점에서 이루어진 생산활동에 대한 보상과 인센티브 등의 형태로 분배하는 것이 대단히 온당한 일이라고 나는 항상 생각해왔다.(조지 콜)

미국이나 북서유럽의 부유한 나라들에서 발생하는 소득의 약 90% 혹은 그 이상은 사회적 자본이 창출하는 것이라는 결론을 피하기 어렵다.(허버트 사이먼)

현실의 삶에서 얻게 되는 여러 기회들은 저마다 타고난 역량과 성향뿐만 아니라 그것들이 무수히 많은 우연적 상황들과 복잡하고도 예측불능하게 얽히면서 생겨나는 것들이다.

기본소득은 경제성장에 기여하고, 경기순환의 반대 방향으로 작동하여 그 충격을 완화시킬 것이다.

기본소득을 도입하게 되면 모든 낮은 수준의 사회적 수당들을 대체할 뿐만 아니라 모든 놓은 수준의 사회적 수장의 아랫부분도 대체하게 될 것이다.

기본소득의 재원 조달 : 근로소득세, 마이너스 소득세, 법인세, 상속세, 천연자원, 환경세, 카지노의 이윤, 화폐의 유통(토빈세), 소비세, 지출세, 부가가치세.

보편적 아동수당과 보편적 기초연금은 환영할 만한 제도다. 청년들에게 우선적으로 확장하는 방법을 생각해볼 수 있다.

완전한 기본소득이라는 것을 한 방에 성취하려는 행동은 무책임할 수밖에 없다. 기본소득은 사람들을 움직이게 만드는 유토피아이자 도달해야 할 지평선이다.

참여소득 : 기본소득과 달리 일정한 사회적 기여를 요구. 참여에는 전일제 혹은 시간제 유급 고용, 자유업이거나 교육과 훈련 혹은 적극적인 구직활동, 돌봄 봉사, 사회적적으로 인정된 결사체에 정기적으로 출근하는 자원봉사 활동 등이 모두 포함된다.

기본소득에 대한 첫 번째 착각은 국가가 시민들에게 부과하는 세금 부담이 막중하게 늘어날 것이라는 것이며, 두 번째 착각은 세금으로 걷은 돈을 부자에게까지 헛되이 낭비하게 될 것이라는 것이다.

우리 사회의 제도적 틀이 가진 역사를 돌아보면, 오늘날에는 당연한 것으로 여기는 요소들 중 대부분이 불과 얼마 전까지도 존재하지 않았다는 의미에서, 그리고 더 나은 세계에 대한 비전이라는 의미에서 유토피아적이었다는 것이 분명히 드러난다. 노예제 폐지, 개인 소득에 대한 과세, 보편적 참정권, 무상의 보편 교육, 유럽연합의 존재 등 그 예는 무수히 많다.

유토피아의 비전은 하루아침에 현실로 바뀌지 않지만, 그러한 노력은 시종일관 우리의 나침반이 되어주고 우리에게 힘을 주면서 앞으로 나아가게 해줄 것이다.

5년전 이야기다. 딸아이가 중학교 1학년 때 토론대회에 참가한 적이 있다. 딸이 긴장된 상황을 잘 견딜지 걱정하면서 토론대회를 지켜보러 갔다. 세명씩 팀을 이뤄 토론경합을 했는데 딸아이 팀은 결승전까지는 진출했지만 중3 팀에게 밀려서 준우승에 그쳤다. 결승전 토론 주제가 기본소득(basic income)이었다. 나는 아이가 무사히 대회를 마친 것에 감사했다. 한편으로 그 생소한 기본소득을 알고 토론한 부산의 한 중학교 3학년 학생들이 대견했다.

특히 학생이 토론 중에 "우리 가운데 누군가 돈이 없어서 학교에 오지 못한다면 우리들은 학교생활을 온전히 한다고 할 수 없다. 그것은 불완전한 학교다." 이런 말을 해서 깜짝 놀라고 크게 감동받은 기억이 난다. 나 역시 기본소득을 잘 몰랐던 때다.

불과 5년 뒤에 기본소득은 인기 주제어로 떠올랐다. 이념적으로 좌파와 우파를 막론하고 모두 관심이 높아지고 있다. 세계적으로 기본소득에 관한 연구와 실험이 활발하다. 최근 기본소득 논의를 대중화시키는데 결정적 역할을 한 사람은 미국 민주당 대선 주자 앤드류 양이다.

그는 자유배당금(Freedom Dividend) 이라는 이름으로 18세 이상 모든 미국인에게 월 1000달러의 기본소득을 지급하겠다고 공약한다. 한화로 100만원이 넘는 돈을 보편적 수당으로 지급하겠다는 말이다. 현재는 다른 민주당 주자에 비해서 낮은 지지를 받고 있지만, 기본소득 공약은 양의 열성적인 지지자들, 일명 양갱(Yang gang)을 만들어 내고 있다.

"여러분이 자유배당금을 받으면 그 돈은 어린이집에, 자동차 수리에, 학자금 대출에, 교재 구입에 곧장 간다. 이게 바로 우리를 수년간 힘들게 해온 낙수효과(트리클 다운)의 반대, '트리클 업' 경제다. 여러분 각자 넷플릭스 계정을 가질 수 있게 돼, 8명이 한 사람 아이디를 돌려쓰지 않아도 된다."(앤드류 양, 한겨레신문 인용)

기본소득 문제를 잘 정리한 책이 『21세기 기본소득』이다. 원제는 Basic Income. 벨기에 학자 필리프 판 파레이스와 야니크 판데르보히트는 생소한 이름들이지만 기본소득의 권위있는 연구자들이다. 믿을 만한 학자인 홍기빈이 번역했다.

─기본소득의 정의

대체로 기본소득은 4가지 특징으로 정의된다. 현금성, 개별성, 보편성, 무조건성이다. 즉 상품권이나 바우처가 아니라 현금으로 지급하고, 집단이나 가구가 아닌 개인에게 지급하고, 빠짐없이 모든 사람들에게 다 지급하고, 다른 조건 없이 무조건 지급하는 돈이다.

기본소득은 이미 확립된 복지 제도와는 완전히 다른 것이다. 기존의 복지 제도는 크게 세가지로 나누어진다. 국가가 세금으로 가난한 사람들에게 도움을 제공하는 공공부조, 국민들이 각종 미래의 위험에 대비해서 미리 돈을 내고 나중에 위험 상황이 발생했을 때 국가가 각종 서비스를 제공하는 사회보험, 그리고 공공부조나 사회보험으로 해소되지 않는 복지수요에 대응해서 국가가 수당이나 서비스를 제공하는 사회수당이 있다. 기본소득은 공유재산을 공동체에 속한 사람들 마다 똑 같이 분배하는 원리이고, 분배의 결과로 일자리가 사라진 상황에서 인간의 기본 활동비를 제공하는 효과를 거두는 것이다. 기존 복지 제도의 어디에도 속하지 않는다.

―나, 다니엘 브레이크

기존 복지제도는 주로 선별적 복지로 오랜 기간 점진적으로 하나씩 제도화되었다. 보편적으로 제공되는 복지가 아닌 이상 국가는 지급 조건에 맞는 대상을 선별하는 작업을 해야 한다. 상당수의 지급 조건은 수급자가 증명해야 하는 경우가 많다. 각종 증명서를 떼서 제출해야 하고 실업과 함께 구직활동을 계속하고 있다는 증빙을 준비해야 한다. 또 이를 검증하는 공무원의 일도 만만치 않다.

영화 「나, 다니엘 브레이크」 는 영국 복지제도의 맹점을 영화의 배경으로 드러낸다. 한때 목수였던 주인공 다니엘 블레이크는 심장에 이상이 생겨 일을 쉬게 된다.

실업급여를 받아야겠다는 생각으로 찾아간 관공서에서는 인터넷을 이용해 신청서를 제출하라고 한다. 컴퓨터 사용법조차 제대로 알지 못하는 다니엘은 절망한다. 관공서의 비효율적인 매뉴얼, 다른 부서로 일처리를 떠넘기려는 공무원들, 당장의 생존이 절박한 사람들에게 아무런 도움이 되지 못하는 복지제도의 벽을 절감한다. 영화는 제도가 포착하지 못하는 개인들이 서로 도우며 살아갈 방법을 찾아가는 따뜻한 드라마다. 그러나 제도와 행정의 사각지대와 관료주의는 익숙하고, 다니엘 브레이크의 답답한 처지는 그대로 전해져 내내 가슴을 무겁게 만든다.

─우파 경제학의 생각

재밌는 것은, 복지 제도 확대에 반대하는 자유시장주의 경제학자들도 기본소득에 대해서는 적극적이다. 밀턴 프리드먼이나 하이에크 같은 학자들이 대표적이다.

이들에 따르면, 국가가 직접 개입하는 복지 정책은 자원 배분의 왜곡을 불러온다. 기본적으로 민간에서 이루어지는 자선이 가장 좋은 방법이다. 만약 자선으로 해결이 안되면 국가가 역할을 해야 하지만 이때도 시장이 왜곡되지 않는 방법으로 해야 한다. 그래서 직접 개인에게 돈을 나눠주고 개인이 필요에 따라 알아서 쓰는 것이 좋다고 한다.

알래스카의 기본소득인 영구펀드도 우파 주지사가 시행했다. 알래스카에서 석유가 나오자 알래스카 천연자원의 주인은 시민이라고 명시한 주 헌법을 근거로 석유 수입의 일부를 투자하는 펀드를 조성했고 알래스카에서 1년 이상 거주한 사람은 누구나 똑 같은 액수의 배당을 준다. 이 역시 주 정부가 나서면 시장이 왜곡된다는 생각을 배경으로 한다.

─공유재산의 배분

기본소득에 관한 생각의 원천은 공유재산은 모두에게 똑 같이 나누어야 한다는 것이다. 미국 독립혁명의 영웅인 토마스 페인은 대토지 소유는 평등과 민주주의에 장애물이라고 생각했다. 토지는 사회적 부라서 공유재산이 되어야 하므로 대토지에 세금을 부과하고 그것을 똑같이 나누어야 한다고 주장했다.

현대에 와서는 무형의 지식자본이 커다란 부가가치의 원천이 되고 있다. 미국의 허버트 사이먼 같은 학자는 무형의 지식자본은 공유재산이 되어야 한다고 주장한다. 최근에 기술기업이 등장하면서 새로운 디지털 지식자본이야 말로 완전히 개인 소유가 될 근거가 없다는 논리가 주목받고 있다. 예컨대 구글이나 네이버와 같은 포탈은 그 이용자들의 온라인 활동의 결과로 무수히 많은 데이터가 축적되고 있다. 그렇게 축적된 데이터의 가치는 엄청나게 큰 것이다. 그런데 그 데이터는 온전히 포털의 것이라고 하기 어렵다. 그래서 포털이 얻은 데이터, 즉 무형의 지식재산은 모든 사람들이 공유해야 한다는 것이다.

─일자리의 소멸

기술혁명이 인간의 일자리를 없애는 시대다. 이미 제조

110

업 전반에서는 사람의 노동이 기계나 로봇으로 대체되고 있다. 4차 산업혁명이 가지고 오는 본질적인 변화다. AI와 로봇 기술의 발전이 대량실업을 발생시키기 시작한 것이다. 농업사회에서 산업혁명을 거쳐 근대 산업사회로 변화하는 과정에서는 농촌의 일자리가 공장 일자리로 전환되었을 뿐이지 일자리가 사라지지는 않았다.

그러나 이제 기계가 노동을 대체하면서 실제로 일자리가 사라지고 있다. 앞으로 일자리 소멸은 더 가속화될 것으로 예상한다.

2016년 대선에서 도널드 트럼프 대통령이 이긴 이유는 오하이오, 미시간, 펜실베이니아, 미주리, 위스콘신, 아이오와까지 이어지는 이른바 러스트 벨트에서 400만명이 자동화로 일자리를 잃었기 때문이다. 과거 제조업 대공장이 발달해서 많은 인력이 고용돼 일하고 미국 경제의 중추적인 역할을 하던 지역이었다. 그렇지만, 산업구조 변화와 기계화, 그리고 제조공장의 해외 이전 등으로 대량실업이 일어난 지역이다. 트럼프는 이 곳에서 금융산업과 ICT산업에 밀려난 제조업의 부흥을 약속했다. 일자리를 다시 찾아오겠다는 약속이다.

일자리 소멸은 미국만의 문제가 아니다. 시간이 갈수록 노동시장은 더욱 불안정해질 것이고, 일자리를 구하지 못하는 실업자가 점점 늘어날 것이다. 이러한 상황은 대량생산과 대량소비가 서로 맞물려 돌아가는 산업사회의 논리로는 이해할 수 없는 것이다. 따라서 과거 산업사회의 시스템 속에서 완성된 기존 사회복지 제도로는 더 이상 감당하기 힘든 상황인 것이다. 복지의 또 다른 축인 사회배당, 기본소득의 역할이 더 커질 수밖에 없다.

－기본소득의 재원

먼저 무엇을 공유재산으로 볼 것인지 문제가 기본소득의 재원 문제가 된다. 포털 같은 플랫폼 사업자들이 축적한 데이터를 공유재산으로 본다는 것은 데이터에 세금을 부과하고 그 재원으로 기본소득을 해야 한다는 말로 연결된다. 데이터세라고 할 수 있다.

미국 민주당의 앤드류 양은 인공지능(AI)과 자동화 기술의 영향으로 천문학적 수익을 올리고 있는 구글, 페이스북, 아마존 등 기술기업들로부터 세금을 걷어 기본소득의 재원으로 써야 한다고 주장한다.

미국에서는 트럭 자율주행 연구가 98% 진행됐다고 한다. 이게 완성되면 350만 트럭 기사 뿐 아니라 그들이 매일 이용하는 휴게소, 모텔, 식당에서 일하는 700만명은 일자리를 잃게 된다. 아마존은 플랫폼 사업으로 연 200억달러(한화로 약 23조원)를 벌고 지난해 세금은 한 푼도 내지 않았다. 기술 발전으로 일자리를 줄여 이윤을 불리는 기업들이 기본소득 재원을 대야 한다는 논의가 주목받고 있다. 기계세 또는 로봇세로 부르기도 한다. 그 기본소득으로 삶의 질을 높이고 경제 선순환을 이루자는 것이 재원 논의의 중심축이다.

기본소득 재원에 대한 논의는 다양한 방향에서 진행되

고 있는데 공통적으로 지적하는 것은 작은 범위에서 실험이 필요하다는 것이다. 1인당 GDP의 10% 정도를 기본소득의 한도로 잡는다면 재정 중립적인 방안이 나올 수도 있다거나, 몇가지 공제나 소득지원 패키지를 모아서 재원을 만들거나, 특별세를 신설해서 재원으로 쓰는 방법 등이 제시된다.

저자 판 파레이스는 자본이득 과세와 신화폐의 발행도 제시한다. 이들이 실제로 어떻게 작동할 것인지 많은 실험이 필요할 것이다. 작은 액수에서부터 높여가며, 좁은 지역에서 넓혀가며 다양한 실험이 시작되기를 기대할 수 있겠다.

－노동윤리 vs. 실질적 자유

재원 문제가 현실적인 장벽이라면, 심리적 장벽은 상당히 확고하게 형성된 노동 윤리를 들 수 있다. '일하지 않는 자는 먹지도 마라' 같은 거친 경구는 아니라도, 노동과 대가가 부합할 때 정의라고 느끼는 관념이다. 하루 종일 노는 사람에게도 수당을 준다면 일을 할 유인(incentive)이 없어질 것이라고도 본다.

그러나 기본소득 연구자들은 다른 생각이다. 일자리가 사라지는 시대에 노동윤리가 계속 유지되어야 하는지 묻는다. 투입되는 노동이 전적으로 생산성 증가로 이어지는 농경사회와 달리 이미 산업사회에서는 상당한 숫자의 실업자가 불가피한 상황이었고, 고용되지 않으면 일할 수 없는 노동자들에게 다양한 사회보장이 이미 존재했다고 한다. 다시 말해 노동으로부터 비자발적으로 분리된 인간에게 인간존엄의 최소한을 지키기 위한 장치이고 활동의 자유를 최소한으로 보장하는 윤리가 필요하다는 말이다.

더 나아가서, 4차 산업혁명 시대에는 인간 일자리가 사라져갈 뿐만 아니라, 일과 여가의 경계가 불명확해지고 있다. 예컨대 프로게이머라는 직업은 과거에는 여가이거나 놀이였다. 또 자기의 소비를 유투브에 방송하는 것만으로도 고소득을 얻는 사람들은 과연 노동을 하는 것인지, 그리고 노동과 대가가 부합하는 것인지 알 수 없다는 것이다. 여가를 노동과 구분하기 어려워지면 노동윤리 관념도 변하게 된다. 그래서 모든 사람에게 보장되는 실질적 자유가 노동윤리의 자리를 대체한다.

―일자리 소멸 시대의 자유
고단한 일상에 파묻혀 살던 노예들은 자유와 독립적 삶을 갈망하면서도 노예제 라는 거대한 장벽 안에서 자유로운 삶을 상상하지 못했을 것이다. 여성을 포함한 보편적 선거권도 고단한 일상에 파묻혀 있던 여성들에게는 꿈 같은 애기였다. 그렇지만 자유로운 삶이라는 빛나는 상상이 인간을 진일보시키고 미래를 만들었다. 노예제가 폐지된 세상을 상상하고 보편적 선거권을 상상하던 사람들이 결국 인간 존엄의 새로운 지평을 열었다.

기술의 발달이 우리의 삶의 조건들을 어떻게 바꿀 것인지는 상상하기는 덜 어려워지고 있다. 정작 어려운 것은 발달된 기술 조건 속에서 우리가 더욱 자유롭고 고양된 삶을 살기 위해서 무엇을 준비해야 하는지다. 작곡가를 꿈꾸는 청년이 당장 집세를 내기 위해서 8시간 일하는 편의점에서 나와 작곡에 전념할 수 있다면 어떨까. 현재 직장을 떠나 다시 한 1년 직업교육을 받고 싶은 중년 직장인이 당장의 반나절 아르바이트를 구하지 않아도 된다면 어떨까.

 자기자신 외에는 특별히 기댈 곳 없는 사람들의 마음을 응원하고, 그들이 실질적인 활동의 자유를 얻을 수 있는 최소한을 국가가 보장해준다면 사회의 공기는 어떻게 바뀔 것인지 상상하는 것은 즐거운 일이다. 기술의 발달이 인간 중심의 자본주의를 가능하게 할 것이라는 믿음이 출발하는 지점이다. 기술의 발달이 공유재산을 확대하고 분배의 정의를 새롭게 만들 수 있을 것이라는 상상이 다시 시작되기를 바란다.

2. 사람이 먼저다

「로버트 오언」 G.D.H 콜

초기 사회주의자들의 주장은 사적 소유의 폐지나 폭력 혁명 같은 것이 전혀 아니었다. 생시몽이나 오언이나 그 주장의 핵심은 "사회를 합리적으로 재구성해야 한다"는 데에 있었다.

우리의 생각과 삶과 행동을 짓누르는 낡은 관습을 일소하고 과학과 산업적 합리성과 자유, 평등, 연대라는 새로운 가치로 그 자리를 채워야 한다.

경제적 자유주의 − 스스로의 이기적 이익을 추구하여 무한 경쟁을 벌이는 것만이 산업사회를 효율적으로 조직.

인간이 협동의 원리로 산업사회를 조직할 수 있을 뿐만 아니라 그것이 도덕적으로도 또 효율성에 있어서도 현존하는 시장자본주의의 산업사회보다 훨씬 뛰어날 것이라고 생각했다.

노동조합 운동, 산업합리화 운동, 아동 교육, 공동체 운동, 협동조합 운동, 세속적 합리주의 운동, 사회주의 운동 등이 모두 오언이 창시자 내지 영감의 아버지다. 오언은 사회 혁신의 선구자다.

사회 연대 경제

인간의 본질은 경제적 인간이 아니라 사회적 인간이다.

성인이 된 시점은 산업혁명의 물결이 절정에 달했던 시기. 상업적 팽창과 자기도취가 절정에 달했던 빅토리아 시대에 세상을 떠났다.

집단적 행동을 통해 생산수단을 통제한다는 생각에 기초한 노동자 계급의 운동으로서의 영국 사회주의가 시작된 것은 1815년(워털루 전투)의 평화 이후의 시절이라 할 수 있다.

상호 신뢰를 바탕으로 자신들 스스로가 일상적으로 필요한 재화들을 사고 팜.

작은 규모의 구매와 활동을 수단으로 하여 공동의 기금을 축적.

그는 스스로의 의지와는 거의 무관하게 1830년대의 거대한 노동조합 반란의 지도자가 되었다.

보편적 자애심.

사회가 그 구성원에게 유용한 일자리를 제공할 의무가 있다고 보았으며, 그러한 목적을 달성할 사회 조직 계획을 고안하는 작업에 나선 것이다.

전형적인 협동조합은 소매업과 연결된 소비자 조합이다. 자기들끼리 거래하여 가게를 키워나가는 구조. 일정한 양의 생필품들을 도매로 구매하여 그 구성원들에게 소매로 판매.

사회의 구조를 자본주의에서 협동주의로 빠르게 전환시킬 가능성이 있다고 보았다.

노동자들이 스스로의 주인이 되어 자기들이 집단적 노동으

로 생산된 것들을 전부 전유하고 또 자기들의 생산물을 서로
서로 공정한 조건으로 교환.
 노동조합을 하나의 거대한 협동조합이나 길드로 전환.

 고등학교 사회과목은 이름이 '정치경제'였다. 교과서에서 여러 사상가를 분류해 소개하면서 공상적 사회주의라는 이름 아래 세 사람이 있었는데 생시몽, 샤를 푸리에, 그리고 로버트 오언이었다. 그때도 시험을 앞두고 세 사람의 이름을 외우는 것이 전부였다. 세 인물의 생각을 들여다볼 엄두는 못냈다. 공상적 사회주의라는 분류가 머리 속에 편견을 가득히 남긴 것 외에는 달리 기억날 것이 없다. 1980년대는 그랬다.

 사회라는 말은 쉽게 풀면 사람들이 모여 이루는 집단이다. 사람의 모임인 사회가 지속되려면 관계가 좋아야 하고 그러기 위해서 서로 소통하고 배려, 양보하면서 협력해야 한다. 로버트 오언이 생각하고 실현하려고 노력한 사회가 그런 사회다.

 로버트 오언이 다시 주목받는 것은 그가 근래 떠오른 협동조합의 원형을 만든 사람이기 때문이다. 1786년 영국 뉴래너크에 처음 협동조합 공장을 만들었다. 공장 주변에는 마을을 만들어 함께 살게 했다. 전 유럽이 관심을 가질만큼 큰 성공을 거두었다. 현대 협동조합의 기본원칙은 뉴래너크 협동조합에서 가지고 온 것이다. 그리고 아동노동을 줄이기 위해서 일할 수 있는 연량을 높이고 어린이 교육을 실시했다. 유치원 교육도 최초로 시작했다. 프뢰벨이나 몬테소리보다 앞서 유치원 교육을 시작한 것이고 아동교육에 자연주의 커리큘럼을 만들었다.

두 가지 오해를 거두어야 한다. 먼저, 18세기 유럽에서는 산업혁명의 결과로 나타난 가난한 사람들의 비참한 현실을 개선하려는 다양한 모색이 있었는데 그 중에 로버트 오언은 협동조합과 마을을 통해서 이상적인 공동체를 생각한 것이다. 그리고 실제로 만들었고, 성공했다.

이를 구태여 사회주의의 범위에 포함시킨다면 어쩔 수 없지만, 1917년 이후 러시아와 동유럽의 현실 사회주의와는 무관하다.

둘째로, 오언은 공상적이지 않았다. 사실 공상적이라는 말은 사회주의자들이 만들었다. 자신들은 과학적 사회주의자고, 오언과 같은 생각은 과학이 아니라서 공상적이라고 불렀다. 또 공상적이란 말은 실행 없는 구상일 뿐이라는 의미로도 읽히지만, 오언은 실제로 협동조합과 마을 공동체를 만들어서 유럽사회에 큰 영향을 미친 사람이다. 요즘 말로는 혁신가다.

−시대와 혁신 정신

로버트 오언은 1771년 영국 웨일즈에서 출생했다. 유럽의 왕정이 최후의 단계에 이르고, 산업혁명으로 영국부터 격변을 시작하던 때 성장했다. 두 해 전인 1769년 제임스 와트의 증기기관이 나왔다. 1776년에는 영국의 아담 스미스가 『자본론』을 출간한다.

산업혁명기 공장에는 놀라울 정도로 아동노동자가 많았다. 대체로 6살만 되면 공장에 가서 일을 해야 했다.

당시 의회 보고서에는 7살 어린이가 14~16시간 노동을 했다는 기록이 있고, 3살 어린이가 공장에서 청소 노동을 하는 것이 목격되었다고 기록하고 있다. 몸이 작아 기계 사이를 다니면서 천을 줍거나, 작은 손으로 끊어진 실을 잇는 섬세한 노동에 적합했다. 술도 안마시고, 말을 잘 듣고, 임금이 쌌다. 한마디로 야비하고 가혹한 노동이었다.

신분제의 속박으로부터 벗어난 자유로운 시민들의 자발적 계약이라는 말의 실상이었다. 공장 노동에서 실질적 자유란 없었다. 공장을 떠나서 살 수 없는 가난한 사람들에게 자유로운 계약이란 아동 노동, 장시간 노동, 위험 노동, 그리고 저임금 노동이었다.

오언도 평범한 우체부의 아들이었고, 10살에 처음 공장에 갔다. 수완이 좋아서 일을 잘했고, 18살에 500여명이 일하는 공장의 지배인이 된다. 그후 뉴래너크 지역 사업가 집안과 관계를 맺고 이후 거기서 공장을 매입해 사업을 시작했다. 오언은 이 공장을 중심으로 협동조합과 이상적인 마을 공동체를 실험했다.

교육이 중요하다. 사람은 교육을 통해서 변화할 수 있다. 특히 어린시절 교육을 받아야 한다. 어릴 때일수록 책보다는 자연 속에서 놀고, 그림을 그리고 춤을 추면서 행복한 마음을 가지고 자라야 한다. 선과 악, 행복과 불행도 모두 교육이 원천이다. 뉴래너크에서는 12살이 넘어야 노동할 수 있었다. 노동을 하더라도 저녁에는 교육을 받아야 했다. 어린 아이들에게는 사실상 유치원을 창시해 교육을 받게 했다. 최상의 국가는 최상의 교육 시스템을 갖춘 국가라고 생각했다.

마을에서는 교육과 함께 의료도 무상으로 제공되었다. 마을 상점에서는 값싸고 좋은 물건을 팔았다. 주민들의 즐거움, 행복감을 중시해서 레크레이션과 음악회를 자주 열었다. 사람 중심의 공동체다.

─이윤 창출과 협동조합

뉴래너크가 전 유럽의 관심을 받을 만큼 크게 성공한 것은 마을 공동체 실험의 성과만이 아니라 공장 경영 성과에서도 대성공을 거두었기 때문이다. 협동조합은 사회와 사람에게 선한 영향을 줄 수 있다. 사회적 가치다. 그런데 사회적 가치만으로 협동조합의 지속성은 보장되지 않는다. 생산자들은 생산성 향상을 통해서 경제적 가치를 일궈야 한다. 지속적인 경영이 가능해야 한다.

적절한 배분과 노동자 복지, 교육이 생산성 향상으로 이어지고 경제적 가치가 다시 사회적 가치의 원천이 되는 선순환이 협동조합의 경영 목표다. 우리 말에 '개처럼 벌어서 정승처럼 쓴다'는 말이 있다. 대체로 험하고 악하게 번 돈이라도 선하고 좋은 곳에 쓴다는 말이다. 이 말처럼 고약한 소리가 없다. 악함과 선함의 순환이 없는 말이다. 스페인의 축구팀 FC바르셀로나는 협동조합이다. 미국 서부의 유명한 오렌지 브랜드 썬키스트 역시 생산자 협동조합이다. 우리나라에는 농협, 수협, 축협 등 협동조합의 이름으로 번듯한 사업을 하고 있는 오래된 조직이 있다. 근래에는 풀뿌리 경제 공동체에 관심이 높아져 2012년 협동조합기본법이 만들어지고, 등록된 협동조합이 1만개를 넘었다. 주변에서 협동조합을 만들거나 활동하는 이웃과 친구들을 흔히 볼 수 있다. 5인 이상이 모이면 협동조합을 할 수 있기 때문에 제도적 장벽은 거의 없다.

최근에는 주식회사를 하다가 종업원 협동조합으로 전환하는 사례도 생긴다. 물론 그 많은 협동조합 중에서 제대로 의미있는 활동을 하는 조합이 얼마나 되는지는 알 수 없다. 다만 돈을 버는 과정과 쓰는 과정이 일관된 사회적 가치 위에서 진행되도록 민주적으로 조직하자는 협동조합의 취지가 사회적으로 공감을 얻고 수요가 늘어났다는 사실은 주목해야 한다.

−혁신가의 시대

창의적인 아이디어로 사회적 수요를 충족시키면서 사회의 긍적적 변화를 만들어내는 사회혁신가들이 주목받고 있다. 자치단체마다 사회혁신가 양성교육 프로그램을 운영한다. 기업들도 사회공헌 사업으로 사회혁신가를 발굴해서 지원하는 프로그램을 운영한다. 또 사회혁신가의 아이디어에서 기업들이 새로운 사업 아이디어도 얻는다. 사회혁신가가 되려는 청년들이 크게 늘고 있다.

세계 사회혁신가들이 모여서 생각을 나누는 자리는 대성황을 이룬다. 시장과 공공의 경계를 넘어 사회의 혁신이 필요한 시대다.

사회혁신가라고 부르려면 첫째, 참신한 아이디어를 갖

고 있어야 한다. 둘째, 아이디어를 실행에 옮길 수 있는 행동력, 추진력이 있어야 한다. 셋째, 목적이 사회적 수요(Needs)를 충족시켜야 한다. 넷째, 결과적으로 사회의 변화를 이끌어야 한다. 마지막으로, 사회 전체 역량을 증진시켜야 한다.

많은 청년들이 지역사회에서 혁신가의 역할을 하고 싶어하고 과감한 도전이 이루어지고 있다. 협동조합은 하나의 예이고 수단일 수 있다. 공동체의 공동선을 확대시키는 일은 다양하고 많을 것이다. 자조와 평등, 연대와 협력, 민주주의와 공정의 가치로 조직되는 협동조합의 정신이 사회혁신가 뿐만 아니라 같은 시대를 살아가는 민주 시민들 속에 튼튼하게 자리잡아 가기를 기대한다.

3. 근원과 리듬이 두 개의 시간

「물질문명과 자본주의」 페르낭 브로델

－빛나는 생각

 나는 장기적인 시간을 두고 진행되는 심층의 균형과 불균형을 선택했습니다. 나는 거의 변화지 않는 것, 언뜻 보아서는 희미한 미지의 역사부터 들여다보자고 생각했습니다. 출발점으로 삼았던 것은 일상생활입니다. 내 생각에 인류의 삶은 절반 이상이 일상생활에 묻어서 굴러갑니다. 습관적 행동은 우리가 삶을 영위하도록 도와주기도 하고 옥죄기도 하면서, 우리가 사는 내내 우리를 대신해 결정을 합니다. 이처럼 수백 년 전의 과거는 아주 오래된 것이지만 여전히 살아 움직이며 현재로 흘러옵니다.

 심해 깊은 곳으로 잠수하고 나오는 순간, 우리가 태곳적의 물속에 살고 있구나 하는 강렬한 느낌이 가시지 않았습니다. 물질생활은 인류가 이전의 역사를 지나오는 동안 자신의 삶 아주 깊숙한 곳에 결합해온 것이다. 마치 우리 몸속의 내장처럼 깊숙한 곳에 흡수되어 있는 삶이라는 것입니다.

 밀을 경작하면 땅의 양분이 금세 고갈되어 정기적으로 땅을 쉬게 해야 합니다. 이 때문에 가축을 사육할 여유가 생기기도 했고 그와 같은 다른 일이 필요하기도 했습니다. 쌀을 경작하는 문화에서는 인간이 가축에 신경 쓸 여유가 없었습니다. 옥수수를 주식으로 하는 사회에서는 그만큼 여가를 활용할 여유가 생기기 때문에 농부들이 부역에 동원됐고, 아메리카 원주민들처럼 어마어마한 기념물을 건설하게 됐던 것입니다.

잘 확산되지 않는 것은 기술의 결합과 조합입니다.

화폐와 도시는 수백 년에 걸쳐 가장 일상적인 생활의 뼈대를 이루게 된 구조물입니다. 도시와 화폐가 근대성을 만들어냈다고 말할 수 있을 것입니다.

교환경제는 분명 태곳적부터 이어져왔겠지만, 생산 활동 전체를 소비활동 전체와 결합하는 지점까지는 도달하지 못했습니다. 이 교환 영역을 나는 경제생활이라 칭하여 물질생활과 대조하고자 했습니다.

1688년 무렵 암스테르담 증권거래소의 중개인들을 주식을 보유하지 않은 채 선물과 옵션거래를 통해서 아주 현대적인 방식으로 매매했습니다.

16세기의 활발한 상승세는 경제의 최상층인 상부구조가 번창한 덕분입니다.

17세기에 들어서면 경제생활의 활력이 지중해에서 광활한 대서양으로 이동합니다. 17세기는 소매상점이 광범하게 번성했던 시기이기도 합니다.

과연 유럽이 산업혁명 이전에 나머지 세계보다 앞서 있었는가? 유럽 경제가 다른 곳보다 앞섰던 것은 거래소와 다양한 신용 형태 같은 우월한 장치와 제도 덕분인 것으로 보입니다.

18세기까지 시장경제와 자본주의 이 두 유형의 활동은 작은 부분에 불과했습니다. 그 무렵까지 자본주의는 경제생활 전체를 장악하지 못했습니다. 즉 자신의 고유한 요소들을 스스로 번식해가는 독자적인 생산양식을 만들어내지 못했던 것이시요. 두툼한 깊이 혹은 두께로 사람들의 삶에 파고들지는 못한 상태였습니다.

시장경제는 그 본성상 생산과 소비를 연결하는 역할에 불과하니 전체를 대변한다고 할 수는 없습니다. 15세기에서 18세기까지의 흐름을 보면, 시장경제로 구성되는 활발한 생활공간이 지속적으로 확대됩니다. 시장은 생산과 소비를 잇는 불완전한 연결 장치입니다.

과거의 때가 묻지 않은 현재는 없다고 할 수 있습니다.

금융자본주의는 19세기 들어 1830~1860년대가 지나서야 성공을 맞게 됩니다.

근대 국가는 자본주의를 만들어낸 모태가 아니라 자본주의를 물려받았을 뿐입니다. 그래서 자본주의에 우호적일 때도 있었고, 적대적일 때도 있었습니다. 또 자본주의가 팽창하도록 내버려두는 경우도 있었지만, 머리를 드는 자본주의를 파괴하기도 했습니다.

북유럽은 고래의 자본주의의 중심지였던 지중해 지역이 그들에 앞서 아주 오랫동안 찬란하게 차지하고 있던 자리를 그냥 가져갔을 뿐이다.

긴 역사의 관점에서 보면 자본주의는 밤의 손님입니다. 모든 것이 다 갖추어졌을 때 자본주의가 당도한 것이지요.

세계 전체란 15~18세기 사이 모습을 드러낸 통일성을 말하는데, 즉 인간 생활의 모든 방면과 세계의 모든 사회와 경제와 문명에 대해 시간이 지날수록 더 큰 영향력을 행사하는 통일성을 말합니다. 그런데 이 세계는 불평등 속에서 자기 모습을 드러냅니다.

자본주의는 중심부─중간부─주변부로 분화하는데 이러한 규칙적인 위계 형성에서 활력을 얻습니다. 자본주의는 세계의 불평등을 만들어낸다는 것입니다. 자본주의는 매우 드넓은 공간을 권위주의적으로 조직하는 과정에서 태어났습니다.

국민경제는 물질생활의 필요와 혁신을 반영하여 국가가 정치적으로 만들어낸 통일되고 응집된 경제 공간입니다.

산업혁명은 매우 느리게 진행되었고, 그만큼 어렵고 복잡한 과정이었습니다.

산업혁명은 새로 발명해야 할 미지의 세계가 아니라 역사상 경험했던 일이어서 그길로 가는 모델은 누구나 다 알고 있습니다. 선험적으로 보면 모든 게 용이해야 합니다. 그런데 하나도 쉽게 되는 게 없습니다.

산업혁명의 동력이 어느 구석에서도 멈춰 서지 않았고, 어느 길목에서도 병목 현상이 일어나지 않은 채 나라 전체가 환상적인 성장을 연출했습니다. 농촌에서 노동력이 빠져 나갔지만 농촌의 생산력은 그대로 유지되었고, 산업가들은 필요한 노동력을 얻었고, 물가 상승에도 성장은 계속되었고, 해외시장이 차례로 열렸으며, 이익률이 큰 폭으로 하락했음에도 경제 위기가 유발되지 않았고, 자본이 영국 밖으로 나갈 곳을 찾을 수 있었고, 면직물 산업에 이어 철도 산업이 새로 나타나 성장이 지속되었습니다. 이처럼 생산이 급격하게 팽창함에 따른 갖가지 요구 사항을 영국 경제의 모든 부문이 해결했던 셈이다. 세계가 영국의 산업혁명을 위해 효율적인 조건을 만들어준 셈입니다.

－해 제

 빠르게 지나가는 시간과 천천히 흐르는 시간, 이 둘 사이에는 활발하고 밀접한 대립이 끊임없이 일어납니다. 이러한 대립이야말로 사회적 실재의 핵심에 존재하며 다른 어느 요소보다도 중요한 것입니다. 오래 이어지는 움직임과 짧은 움직임을 구분해야 합니다. 짧은 움직임은 바로 가까운 근원에서 시작된 것이고, 오래도록 이어지는 움직임은 멀리 떨어진 과거의 시간에서 비롯된 것입니다. 지금 우리가 경험하는 각각의 현실 속에는 근원과 리듬이 서로 다른 움직임들이 뒤섞여 있습니다. (논문. 역사와 사회과학 : 장기 지속)
 서로 다른 시간들이 충돌.
 옛것을 유지하려는 힘은 긴 시간대의 힘이라고 볼 수 있고, 새것으로 바꾸려는 힘은 짧은 시간대의 힘이라고 볼 수 있습니다.
 처음에는 짧은 시간의 힘에 밀리는 듯했던 오랜 시간의 힘이 다시 승리하는 형국입니다.
 단기적 시간대에 주목하는 역사를 '표층의 역사' 라고 봅니다. 하지만 이 세계의 배후에는 천천히 흐르는 시간 속에서 장기 지속하는 '심층의 역사' 가 자리 잡고 있다고 봅니다. 심층의 역사는 보이지 않는 밑바닥에서 표층의 역사를 떠받치고 또 제약하면서 천천히 밀고 나가는 육중한 힘을 행사하는 실체입니다.

어떤 환경이나 제도, 생활양식 같은 것이 수백 년 세월의 무게를 이겨낼 만큼 질기다면 삶의 다른 요소들과 얼기설기 결합하여 여러 가지 사회적 구조물로 진화하게 될 거라고 짐작할 수 있습니다.

자본주의는 경쟁에 바탕을 두기는커녕 경쟁을 없애는 반시장에 바탕을 두고 있다는 것입니다. 독점은 경쟁의 특수한 형태가 아니며, 독점과 경쟁은 규칙도 다르고 행위자도 다른, 전혀 다른 세상이라는 이야기입니다.

자본주의는 상부구조의 현상이며, 소수의 현상이고, 높은 곳의 현상입니다. 자본주의의 특권과 우위는 늘 선택할 여지를 누린다는 것입니다.

자본주의는 필연적으로 사회 질서의 한 실재이고, 정치 질서의 한 실재이기도 하며, 문명의 한 실재이기도 합니다. 자본주의는 경제 영역에 속하는 형태이지만, 사회의 다양한 영역 속으로 침투해서 그것들과 결합하는 방식으로만 존재하는 실체다.

－같은 시대, 다른 시간대

아버지는 양력으로는 1937년생이다. 말씀 중에 자주 예전에 쓰던 말, 예컨대 바퀴나 휠이 아니라 '발통'이라는 말을 쓰신다. 요즘은 우리나라 어디를 가든 길이 좋아서 별로 멀거나 긴 시간이 필요하지 않지만, 아버지의 거리와 시간 감각은 훨씬 멀거나 길다. 아버지는 고향인 밀양에서 일제시대와 전쟁시기 헐벗던 기억뿐 아니라 부산과 서울 곳곳의 옛 모습과 지나온 풍경을 비교적 잘 기억하신다. 서울역 앞에서도 비만 오면 뻘밭같이 변하던 역전과 그 길을 걷던 모습까지 그 옛날 풍경을 들으면 재미있다. 1960년대 중반 처음 미국 노폭 해군기지에서 얼마간 머물던 기억은 매우 강렬했던 것 같다. 고속도로와 자동차, 백화점에 쌓여있던 상품들이 환상 같이 보였던 놀라움과 군기지 식사의 포만감에 대해서 말씀하실 때는 엊그제 일로 그려진다. 그러면서 지금 우리가 '그때 미국보다 더 좋고 더 잘산다'는 말씀도 꼭 하신다. 그리고는 '평생동안 석기시대부터 인공지능시대까지 지나오다 보니까 헷갈리는 게 한두가지가 아니다.'고 하신다.

경제와 문화, 그리고 정치에서 우리나라만큼 빠르게 변화해 온 나라는 없다. 이제는 너무 상투적이지만 기적을 일군 것이고 아버지 시대에 감사한 마음을 갖는 것은 당연하다. 또 감히 말하자면 아버지는 민주화와 정보통신(IT)혁명의 과정을 수행한 아들 세대에 고마움도 있을 것이다. 이렇게 긍정적으로 회고하고 감사하는 마음만 있다면 참으로 아름다운 풍경이다.

그렇지만 과거는 과거고, 현재와 미래는 전혀 다른 라운드다. 개인적으로는 다행히도 아들의 정치적 지향이나 좁은 의미의 정치에 대해서 동의와 지지를 받고 있다. 그렇지만, 범위를 넓혀 세대간의 문제로 보면 생활 속에서 느끼는 전혀 다른 차원의 차이는 엄연하다. 그 간격이 작지 않다. 시간이 흘러도 좁혀지지 않는 차이를 확인할 때 흔히 우리는 '같은 시대, 두개의 시간대를 살고 있다'는 레토릭을 쓴다.

한국의 정보통신 기술 때문에 우리 아버지 세대는 다른 어느 나라 동년배들 보다 빨리 핸드폰을 스마트폰으로 바꾸었다. 그리고 유튜브에서 버퍼링 없이 동영상을 보게 되자, 세계에서 가장 많이 동영상을 보고 공유하는 노인들이 되었다. 그런데 그 분들이 돌려보는 동영상 중 정치 콘텐츠의 절반이 극우파의 논리를 전파하거나 이른바 '가짜 뉴스'라고 한다. 아들 세대가 만든 개방적이고 진보적이고 창의적인 혁신의 결과물 위에서 노인 세대가 역진의 행진을 하는 그림은 아이러니다.

―진보와 역진

역사 공부가 대중화되었다. 역사를 배경으로 하는 드라마나 영화도 인기를 모은다. 스타 강사가 입시생만이 아니라 TV 방송에서 국민적인 스타가 되고 있다. 역사란 원래 재밌는 이야기다. 긴 시간 흐름 위에서 우리 역사도 진보해 왔다. 역사가 재미난 것은 늘 좋은 사람이 이기고 매번 사필귀정이 실현되어서가 아니다. 우여곡절을 거쳤지만 지나고 보니 기술은 발전하고 생산력은 높아졌고 인간의 존엄은 고양되어 왔다는 것을 알기 때문에 지나온 우여곡절이 재밌는 것이다. 쇠망한 나라 유민들에게 자기 역사가 대중적 재미를 주지는 못할 것이다.

 그러나 당대의 이야기는 언제나 힘겹다. 시대를 진전시키기 위한 노력은 폭력과 협잡과 불의에 맞서 힘겨운 싸움을 해야 한다. 이기기도 하고 지기도 하고 진퇴양난에 빠지기도 한다. 진보와 반동의 연속도 그렇다. 근대 유럽의 역사는 물론이고, 우리 현대사에서도 진보와 반동은 반복되어 왔다. 1987년 6월 항쟁과 7월, 8월까지의 노동자대투쟁은 한국 민주화 역사의 이정표다. 이후 30년 한국사회가 지나 온 방향을 정한 시기였고, 전후 세대(50년대 중반~60년대 중반 출생, 당시 20~30대)가 한국의 새로운 세대로 유전자 변형이 일어난 시기다.
 그렇지만 그해 여름에 직선제를 쟁취한 사람들이 겨울에는 첫 대통령 선거에서 군부독재의 후계자를 대통령으로 맞아야 했다. 1989년 민주화의 열기는 대규모 통일운동으로 이어졌지만, 임수경씨의 방북 이후 강력한 공안정국이 왔고, 민주화 운동은 크게 후퇴했다. 연이어 1990년에는 민주화 세력 중 야당 일부가 나눠지면서 거대한 보수대연합이 이루어졌다. 짧은 진보 뒤에 긴 역진이 이어지는 동안, 당대의 사람들은 고뇌 속에 힘겨운 시간을 견뎌야 했다.

─구조, 장기 지속

 프랑스 역사학의 대가 페르낭 브로델은 구조와 장기지속이라는 개념으로 역사를 설명한다. 아날 학파를 주요 학맥의 반열로 올려놓은 브로델은 역사에서 개별 사건과 사료도 중요하지만 어떤 문제의식으로 역사를 보는지가 가장 중요하다고 한다. 역작 『지중해』에서 16세기까지 유럽역사를 썼고, 『물질문명과 자본주의』에서 17세기~18세기 산업혁명기의 자본주의까지를 고찰했다.

 지금 우리가 경험하는 현실 속에는 근원과 리듬이 서로 다른 움직임들, 빠르게 지나가는 시간과 천천히 흐르는 시간이 뒤섞여 있다는 통찰은 놀랍다. 우리 역사를 떠받치는 저 깊은 심연에 아주 천천히 흐르는 시간이 있어서, 빠르게 지나가는 시간에서는 잘 보이지 않고, 짧은 시간에는 잘 바뀌지 않는 것이 있다는 말이다. 그것이 구조이고, 장기 지속적인 역사를 만들어 간다는 말이다.

 구조는 '역사의 길을 막아 흐름을 방해하고 그럼으로써 지배하는 것'이다. 구조는 표층의 변화를 떠 받치는 받침대이자 동시에 변화의 장애물이다. 구조는 인간의 경험에서 좀처럼 벗어날 수 없는 한계다. 그래서 구조는 감옥이고 인간은 그 감옥 안의 수인이다.

 역사를 관찰할 때 진보와 역진이 반복해서 나타나고, 같은 국민, 같은 대중들인데 역사적 순간에 전혀 다른 선택을 하는 것처럼 보이는 것을 설명할 수 있는 단초가 된다. 표면의 격랑이나 잔물결은 보이지만 그 아래 심연에 천천히 흐르는 역사의 방향은 잘 보이지 않기 때문이다. 사람의 심성과 같은 것은 물질문명의 변화와 함께 오래 도록 형성된 것이고 심성은 짧은 시간에 잘 바뀌지 않는 구조적인 것이다. 심성이 변화하면 역사의 큰 흐름이 바 뀌는 것이다.

－심성, 망딸리떼(mentalite)
근대 자본주의가 형성되는데는 두개의 요소가 중요했 는데, 하나는 국가, 정치권력이다. 이른바 2중 혁명이 라고 하는 시민혁명과 산업혁명을 통해 형성된 근대국 가, 그리고 두번째로는 제도와 구조, 망딸리떼(집단적 심성)다.
브로델은 기본적으로 지리학적 조건이 만들어내는 문 명의 요소들이 독특한 역사전개에 중요한 역할을 한다 고 본다. 또한 인간의 심성도 쉽게 바뀌는 것이 아니고, 심성의 변화가 일어날 때 역사의 전환도 가능했다.
예컨대, 중세에는 망딸리떼라 불릴 정도의 반유대 정신 이 뿌리깊게 자리잡고 있었다. 중세 시대에 유대인에 대 한 반감은 너무나도 당연하게 생각되던 것이다. 중세 유 럽에서 '유대인이 불쌍하다' '유대인도 인간이다' 라는 식의 현대적 사고는 절대 나올 수가 없었다. 그런 사고 자체가 성립이 불가능했다. 그 시대 절대적 진실이었다. 논리의 문제도, 사실여부의 문제도 아니라 그지 모든 사 람들이 알고 있는 진실이었을 뿐이었다.

망딸리떼는 서서히 변해간다. 유럽인들의 유대인에 대한 시각은 서서히 변해간다. 그것은 유대인들이 갑자기 유럽인으로 변했기 때문도 아니며, 유럽인들에게 논리력이 생겼기 때문도 아니다. 시대의 흐름에 따라서 새로운 심성이 들어온 것이다. 그리고 그 심성은 깊숙이 자리잡아 다시 시대가 변해 기존의 심성이 사라질 때까지는 변할 수 없는 관념으로 고정된다. 과거의 흐름은 느렸다. 따라서 망딸리떼는 서서히 변화하기에 충분한 시간을 가졌다. 사람들이 인식하지 못하는 사이, 새로운 심성이 자리잡을 수 있었다. 지금의 '망딸리떼'는 이렇게 성립되었다.

―이자 관념과 자본주의

이자(利子)에 대한 인간의 심성이 변하면서 유럽에서 자본주의가 발생하고 결국 산업혁명이 성공하게 되었다. 그리스도교의 전통에는 원래 이자는 허용되지 않는다. 고리대금업이 금지되었던 것이 아니고, 이자대부업(usury) 자체가 금지되었다.

경제생활에서 교환의 역할과 비중이 커지면서 시장경제가 커지고, 시장경제가 커지면서 그 상부구조인 자본주의가 형성했다는 것이 브로델의 설명이다. 초기 자본가는 대규모 교환을 담당한 원거리 무역 대상인이었고, 무역 대상인들이 원격지 사이 거래의 안전과 편의를 도모하는 방법으로 금융이 발달했는데 여기에서부터 이자가 거저 먹는 돈이 아니라, 거래 발생시와 대금 수금시의 시간의 값이거나 또는 안전과 편의의 대가라는 생각이 생겨났을 수도 있다. 이 과정에서 로마 교회가 이자와 자본주의를 수용하는 계기가 생긴 것이다. 프로테스탄트가 노동윤리와 함께 부의 축적과 이윤추구를 소명으로 끌어 올리면서 이자대부가 자본가의 양심의 가책을 제거했다는 말도 재미있다. 따라서 이자에 대한 인식 변화 과정이 자본주의의 발생 과정이었다는 말이 성립된다.

─ 한국사회, 충돌하는 심성

 인간 세상에 가장 중요한 관념이면서도, 집단적 심성으로는 역사가 가장 짧은 것이 '평등'일 테다. 신분제 사회 안에서 평등 관념은 이단이다. 중국 진나라 때 진승과 오광이 난을 일으키면서 '왕후장상이 어찌 씨가 있겠는가'라며 평등 깃발을 들었지만 신분제의 집단 심성으로 보면 이단이었다. 평등이 사람들의 심성으로 지배적인 자리를 잡은 것은 300년이 안된다. 이 역시 자본주의 발전 과정에서 사유재산의 축적과 자유로운 거래를 보장하는 제도의 기초가 된 심성이다. 18세기 이전에는 자본주의가 유럽에서 지배적인 생산양식이 되지 못했다. 18세기 연이은 시민혁명에서 보여주듯이 평등이 집단적 심성으로 자리잡으면서 자본주의는 확고하게 뿌리를 내린다.
 급격한 시대의 변화를 겪는 사회는 새로운 망딸리떼가 기존의 망딸리떼가 채 사라지기 전에 자리잡는다. 따라서, 망딸리떼의 충돌이 일어난다. 현재 한국사회가 겪고 있는 이념과 세대의 격통을 이해할 수 있는 중요한 생각의 틀이다.

 우리는 시간 속에 살지만, 시간은 우리의 경험과는 무관하게 흐르는 것이다. 시간에 대한 관념이야 말로 상대적이면서도 주관적인 것이다. 비가 올 때까지 계속 기도하기 때문에 반드시 성공한다는'인디언의 기우제'비유는 주로 비과학적인 집단행동 또는 순진무구한 원시적 신앙에 대한 웃음거리로 소비된다. 그렇지만 시간에 대한 관념을 바꾸면 전혀 새로운 시각으로 볼 수 있다. 시간 단위를 길이 단위로 보지 않고, 비가 오기 전까지의 시간과 비가 오는 시간으로 둘로 나누는 관념은 우리에게 없다. 그렇지만 이 두개로 나누어진 시간 관념을 집단 심성으로 갖는다면, 그래서 비가 오기 전까지 시간을 기우제의 시간으로 일치시키면 그것은 일상이 되고 생활 문화가 된다. 그 때 우리가 생각하는 시간의 길이는 별 의미가 없다. 밤이 지나면 새벽이 오고, 가을이 지나면 겨울이 오듯이 그저 살아가면 되는 시간이 된다.
 고단한 일상을 바꾸려는 노력은 어떤 것이든 숭고한 것이다. 그 날 바로 비가 오지 않더라도 기도에 정성을 다하는 모습은 숭고한 것이다. 직장과 생업을 지키기 위해서 무거운 몸을 일으켜 출근하는 새벽은 숭고하다. 나날의 투쟁으로 나와 이웃의 삶은 조금씩 나아질 것이라는 믿음은 숭고하다. 표면의 격랑은 거대한 심연의 흐름을 직접 바꾸지는 못하지만 거대한 심연의 흐름은 표면의 격랑을 떠 받치고 있다. 그렇게 긴 역사에서 인간은 전진해 왔고, 세상은 더 좋아지고 있다.

4. 우리는 해답을 찾을 것이다
「특이점이 온다」 레이커즈와일

특이점 : 가속적으로 발전하던 과학이 폭발적 성장의 단계로 도약함으로써 완전히 새로운 문명을 낳는 시점.
기술의 역사를 면밀히 살펴보면 기술 변화가 기하급수적이라는 점은 금방 알 수 있다.
특이점은 제5기에 시작 될 것이고, 제6기에 지구를 벗어나 우주까지 확대될 것이다.
우리 문명의 창조성과 지능을 얼마나 빨리 우주에 불어넣을 수 있는가는 광속을 넘어설 수 있는가 없는가에 달려 있다.
자연 선택의 경우 세계가 스스로 시뮬레이션을 수행하는 것이나 마찬가지다.
인류 역사의 구조를 단절시킬 수 있는 사건을 처음 특이점을 언급한 사람은 존 폰 노이만이다. 패러다임 전환(기술 혁신)의 속도는 가속된다. 현재는 10년마다 두 배씩 증가한다.
20년 안에 우리는 인간 뇌의 모든 영역이 작동하는 방법을 상세히 이해할 수 있게 될 것이다.
나노봇은 생물학적 뉴런과 상호작용하며 신경계 내에 가상 현실을 창조함으로써 인간의 경험을 확장할 것이다.

진화는 질서를 증가시킨다. 그러나 복잡성은 증가되기도 하고 증가되지 않기도 한다. 진화의 단속 평형(PE) 이론 에 따르면 진화는 급격한 변화의 시기와 그 뒤에 이어지는 상대적 정체의 시기를 번갈아 겪으며 발전한다.
 뇌 전체의 설계원칙은 세부 구조의 복잡성보다 훨씬 단순하다는 것을 알아야 한다. 세부 구조들이 복잡한 것은 유전 정보가 반복적인 프랙탈식 과정을 통해 만들어냈기 때문이다.
 아미노산으로 단백질을 합성하고 핵산으로 RNA가닥을 합성함으로써 생물의 기본 패러다임이 수립되었다.
 새로운 패러다임을 받아들이는 속도는 기술발전의 속도와 마찬가지로 10년마다 두 배씩 늘고 있다.

 인간의 뇌는 매우 비효율적인 전기화학적 과정, 디지털식으로 제어되는 아날로그 연산 과정을 사용. 뇌는 고도로 병렬적인 조직을 삼차원적으로 구축함으로써 막대한 힘을 얻고 있다.
 이번 세기 전반을 지배할 세 가지 변화(유전학, 나노기술, 로봇공학)
 어떤 시스템이 자신보다 나은 무언가를 건설할 능력을 가지는 바로 그 시점이 진정 급작스러운 변이가 가능한 때다.
 자기복제하고 자기조직화하는 전자기기나 기계를 만든다는 발상은 생물학에서 영감을 얻은 것이다.
 지금은 3차원 분자 구조를 통해 연산을 하게 될 여섯 번째 패러다임을 목전에 두었다.
 연산 한계를 불러오는 제일 중요한 요소는 에너지다.

빠른 처리 장치 속도에도 불구하고 전력 소비를 낮게 유지하려면 병렬 처리에 의존하는 수밖에 없다. 사람의 뇌는 약 100조 개의 컴퓨터를 가진 것이나 마찬가지다.

 가역적 논리 조작은 에너지를 쓰거나 열을 방출하지 않고도 할 수 있음을 보였다.

 2045년을 특이점의 시기 인간 역량이 심오하게, 돌이킬 수 없는 이환을 맞는 때일 것이다.

 2040년 중반이 되면 비 생물학적 지능이 세상을 지배하고 있겠지만 그래도 그건 여전히 인류 문명일 것이다. 인간은 생물학을 초월하는 것이지, 인간성을 초월하는 게 아니다.

 나노기술이 전면적으로 활용 되면 연산 자원은 자기복제할 수 있을 테고 주변의 모든 물질과 에너지를 급속도로 지능 지능화해갈 것이다. 그렇다면 광속의 문제가 걸린다.

 뇌의 방법론을 변형시키고 세련화하고 확장한 뒤, 생물학적 뉴런들의 기반이 되는 전기화학적 정보를 처리보다 훨씬 강력한 연산 기술에 적용하게 될 것이다.

 시냅스에 대한 발견 중 가장 놀라운 것은 시냅스의 지형도와 그들이 이루는 연결망이 쉼 없이 바뀐다는 점이다. 뇌가 문자 그대로 생각에 따라 자라고 적응한다는 사실이 분명해졌다.

 2020년대로 접어들어 나노봇 시대가 열리면 뇌 안쪽에서 직접 고해상도 신경 활동을 관찰할 수 있을 것이다.

 성공적인 업로드는 2030년대 말에 가능하리라.

 생명의 경이와 질병의 불행 아래 숨겨진 것은 다름 아닌 정보 처리 과정이다.

노화 연구에서도 주요 대상으로 떠오르고 있는 것은 텔로미어라는 DNA 사슬이다. 텔로미어 사슬은 세포가 한번 복제할 때마다 끝이 조금씩 떨어져 나간다. 더 이상 떨어져 나갈 텔로미어가 없을 때까지 복제가 되풀이되면 더 분열하지 못하고 사멸한다. 놀랍게도 암 세포 또한 텔로메라제를 생성하는 유전자를 지니고 있어서 무한히 스스로 복제하며 덩치를 키워나간다.

 생명공학을 나노기술과 접목시켜 상상하면 세포 하나하나를 컴퓨터로 바꾸는 것도 가능하다.

 텔로미어가 연장되고 DNA도 적절히 수정된 세포들로 새 조직을 길러서 수술 없이 사람의 기존 조직이나 장기와 교체하는 작업.

 동물 없이 동물 근육 조직을 복제함으로써 고기와 기타 단백질을 생산하는 것이다. 가죽이나 모피 같은 동물 부산물도 비슷하게 만들 수 있다.

 비생물학적 지능이 점령하는 진정한 혁명.

 나노기술은 우리 몸과 뇌를 포함한 물리 세계 전체를 분자 수준을 나아가 아마도 원자 수준으로 재조립하는 도구를 쥐어줄 것이다.

 자연을 관찰하면 분자가 기계로 작동할 수 있음을 알게 된다. 생명체는 모두 그런 분자기계 덕분에 살아가고 있다. 효소란 서로 다른 분자들 사이의 결합을 만들었다가, 부쉈다가, 다시 잇곤 하는 분자 기계나 다름없다.

 생명에는 중앙 데이터 저장소는 없다. 전체 암호가 모든 세포에 다 들어가 있다. 세포 핵 속의 생물학적 유전 정보 보관

소를 우리가 나노기술로 만든 물질과 바꿔치기 할 수 있을 것이다.

유전 암호를 저장하고 유전자 알고리즘을 간직한 나노컴퓨터, 발현될 유선자에 대해 아미노산 조립을 수행하는 나노못이 있으면 된다.

나노기술은 인류가 당면한 시급한 물질적 문제들, 에너지, 건강, 통신, 물 문제 등에 궁극의 해답을 내어줄 것이다.

에너지 기술을 포함한 모든 기술이 본질적으로 정보기술화한다는 것이다. 나노기술이 충분히 발전하면 일 비트당 일조배 정도씩 에너지가 줄어들 것이다. 물론 연산량 자체가 폭증할 테지만, 이 정도 에너지 효율만으로도 증가한 연산량을 뒷받침하고도 남는다.

나노튜브와 나노 합성물을 뼈대로 제품을 만들면 오늘날 철, 티타늄, 알류미늄 등을 생산하느라 쓰는 막대한 에너지를 아낄 수 있다.

태양 에너지를 변환에 나노 결정을 활용하면 60퍼센트 가까이 효율을 높일 수 있다는 연구도 있다.

우주 공간에 거대한 집열판을 설치하여 외계 공간을 활용하는 것도 가능하다.

나노 로봇공학은 핵폐기물 관리를 도와줄 것이다. 핵원료를 처리할 때 동위원소 폐기물 분리에 나노 여과막을 쓸 수 있다. 나노 액체를 쓰면 핵반응기의 냉각 효율을 높일 수 있을 것이다.

나노 의학이 적용되면 모든 생물학적 노화 과정은 중간에 사로잡혀 멈출 것이다.

나노기술도 굉장히 혁신적이겠지만 강력한 AI는 이루 말할 수 없이 심대한 영향을 가져올 것이다. 일단 강력한 AI가 등장하면 초지능이 하늘을 찌를 듯 발전하는 것은 그야말로 시간문제라는 것이다.

궁극에 가면 우리는 공학 기술로 인간 지능을 증폭시킴으로써 현재 우리가 의존하고 있는 백조 개의 너무나 느린 개재뉴런 연결을 극복할 수 있을 것이다.

유전 알고리즘의 핵심은 인간 설계자가 끼어들어 해답을 찾아내지 않는다는 점이다. 가상 경쟁 및 진보 과정을 반복함으로써 최고의 설계가 탄생하게 놓아둔다. 생물학적 진화는 훌륭한 방법이지만 느리다.

버전 1.0 육체는 좀 더 내구성 있고 역량 있는 2.0 버전으로 바뀔 것이다.

우리는 늙지 않고 무한히 살 수 있을 것이다. 완전 몰입형 가상현실, 새로운 식사법, 재생산을 위해 성교하지 않는다, 소화계 재설계, 혈액 프로그래밍, 심장, 갖거나 갖지 않거나, 뇌 재설계하기. 사이보그가 되어가는 사람들.

2030년 경이되면 우리 몸은 생물학적 부분보다 비 생물학적 부분이 많게 될 것이다.

나노봇 기술이 무르익으면 전적으로 신뢰할 수밖에 완전 몰입형 가상현실이 가능할 것이다.

일단 뇌를 완전히 스캔하고(아마도 뇌 내부에서 할 것이다),

모든 두드러진 특징들을 확인한 뒤, 생물학적 뇌보다 훨씬 강력할 다른 연산 기판에다 그 상태 그대로 옮기는 것이다.

2025년에는 군대 병력이 '대부분 로봇' 일 것이며 "일정 수준의 사율성, 가령 특정임무의 테두리 안에서 사그만 조정을 알아서 하는 자율성 또는 감독 하에 전권을 쥐는 자율성 또는 전적인 자율성 중의 한 가지를 갖는" 전략적 자율 전투원(TAC)들이 포함된다.

2020년대가 되면 자기조직적인 작은 로봇 등장할 것이다. "하늘에 뜬 난공불락의 인터넷"

일 대 일 서비스는 대개 가상현실로 옮겨갈 것이다. 2020년대 말쯤 되면 가상현실은 진짜 현실과 구분이 불가능할 정도로 정교해질 것이다. 오감을 충족시킴은 물론, 신경학적 방법으로 감정을 자극할 수도 있을 것이다. 오감을 충족시킴은 물론, 신경학적 방법으로 감정을 자극할 수도 있을 것이다.

2030년대가 되면 인간과 기계, 현실과 가상현실, 일과 놀이 사이에는 그야말로 하등의 경계가 없어질 것이다.

광속이라는 것이 진정한 한계 속도가 아닐지 모르며, 설령 광속이 정말 불변의 수치라 판명 나더라도, 웜홀을 통해 다른 장소로 빠르게 이동할 수 있는 가능성은 열려 있다는 걸 염두에 두어야 한다.

내 결론은 그런 외계 문명들이 하나도 없을 가능성이 높다는 것이다. 즉 인류가 우주에서 가장 앞선 것이다.

언제가 지능이 우주를 가득 채우는 날이 올 것이며, 지능이 우주의 운명을 결정하게 되리라는 것이다. 지능은 손닿는 곳에 있는 물질과 에너지를 포화시키면서 멍청한 물질을 똑똑한 물질로 바꾼다.

문명은 결국 정교하고 강력한 기술을 통해서 중력과 기타 우주 힘들을 넘어설 것이다.

2020년대 말이 되면 뇌 역분석이 끝날 것이고, 우리는 인간만큼, 아니 인간보다도 더욱 복잡하고 미묘한 면을 지닌 비생물학적 시스템을 만들 수 있을 것이다.

실제 인간의 패턴을 적절한 비생물학적 사고 기판에 업로드하는 것이다. 세 번째이자 가장 가능성 있는 방법은 인간 자신이 비생물학적 존재에서 비생물학적 존재로 서서히, 그러나 굽힘없이 변해가는 것이다.

의학용, 노화 예방용으로 만들어진 나노봇들이 혈류에 이식될 것이다.

가장 의미 깊은 편익은 생물학적 지능과 비생물학적 지능이 융합하리라는 것인데, 물론 비생물학적 지능이 쉽게 우위를 점할 것이다. 인간을 규정하는 영역 자체가 매우 넓어질 것이다.

뇌 역분석을 통해 무수한 통찰을 얻게 되고, 인공지능 알고리즘 연구가 진전되고, 연산 플랫폼의 역량이 기하급수적으로 성장하는 한 강력한 인공지능의 도래는 필연적이다.

기술 발전을 포기한다는 건 개인, 회사, 국가의 경제적 자살이나 다름없다.

중앙집중식 기술은 붕괴와 재앙의 가능성을 안고 있다. 비효율적이며, 소모적이고, 환경에 해롭기 쉽다. 분산형 기술은 유연하고, 효율적이고, 환경에 무해한 편이다. 분산형 에너지 기술은 어지간해서는 재앙이나 붕괴를 일으키지 않는다.
 나노기술을 적용한 태양열 집열판은 분산형, 재생가능, 청정
에너지를 원하는 우리를 만족시킬 것이다.

 분자 나노기술 제조가 완전히 구현되면 에너지나 교통 분야
에서도 수확 가속 법칙이 실현될 것이다. 매우 값싼 원료와
정보만으로 거의 모든 상품을 만들 수 있게 되면 전통적으로
변화가 느린 산업들도 정보기술처럼 가격대 성능비나 용량을
매년 배로 늘려가게 될 것이다.
 에너지와 교통은 사실상 정보기술이 될 것이다.
 창발적 속성은 패턴의 힘에서 생겨나는 것이며, 패턴이든 그
로 인한 창발적 속성이든 자연계에서만 국한되는 현상은 아
니다.

-허무맹랑하지 않은 디스토피아

인류 역사상 가장 흥미로운 시대를 지나고 있다는 느낌을 지울 수 없다. 과학기술의 변화가 보통사람의 상식으로 쉽게 설명이 안되는 시대다. 속도가 너무 빠르고 점점 더 빨라지고 있기 때문이다. 또한 로봇, 나노, 유전, 뇌과학, 생물학과 생화학 등 여러 가지 과학분야가 각각의 영역에서 발전할 뿐만 아니라 서로 통섭하는 과정을 거쳐 전혀 새로운 양상으로 전개된다. 쉽게 따라가기 어렵다. 레이 커즈와일은 괘씸한 천재다. 유발 하라리가 미래의 역사로 호모데우스를 예견했다면, 커즈와일은 호모데우스의 기술적 백업 자료를 모두 제공하면서 초인류를 예측한다. 그가 제공하는 여러 분야의 과학적 근거와 통계자료, 그리고 상상력을 보면 천재다. 그가 괘씸한 것은 과학 발전이 불러오는 디스토피아를 놀랍도록 설득력있게 보여주기 때문이다.

-GNR, 인간의 불멸 욕망

인류가 지나온 길을 그래프로 보면, 과학과 기술의 발달은 선형성장이 아니라 지수성장한다는 것을 볼 수 있다. 생물학적 진화와 인간의 기술 발달이 모두 연속적으로 가속되고 있어서 다음 사건까지 시간이 점점 짧아지고 있다는 것이다. 인류는 이제 상상할 수 없을 만큼 빨리 하나의 점으로 빨려 들어가고 있다. 이제 곧 특이점을 맞이한다. 커즈와일은 책 『특이점이 온다』(singularity is near)에서 특이점은 곧 올 것이고, 반드시 올 것이라고 한다.

특이점이 오기까지 인간 세상에서 벌어지는 일들은 상식이 아니라 상상으로만 그려볼 수 있는 일들이다. 특히 GNR, 즉 유전학(Genetics), 나노과학(Nano-Tech), 로봇과학(Robot-Tech) 세 분야의 발달이 결정적이다. 인류와 로봇이 상호작용하는 관계를 형성하는 수준을 지나 로봇이 인간을 능가하는 수준에 이른다. 또한 영화 「HER」에서 보듯 인간과 로봇이 서로 연애하는 감정 형성도 가능하다.

인간의 뇌는 곧 철저히 분석될 수 있고, 컴퓨터의 성능이 급속히 좋아지며 나노기술의 도움을 받아 뇌 접속 임플란트까지 하게 되면 자기 뇌를 능가하는 성능의 다른 뇌를 외장하드같이 갖고 다니면서 쓸 수 있다는 말이 된다. 또 영화 「매트릭스」에서 보듯이 가상현실에 접속해 자신의 감각을 전송하며 뇌정보를 컴퓨터에 업로드할 수 있는 것이다.

사실 아직 기계가 인간의 감정과 감성의 영역까지 연산해 낸다는 점은 믿어지지 않는다. 물론 커즈와일은 자기 이야기를 믿어지지 않는다고 비판하는 사람들에게 100년전 살다 간 사람들이 현재 우리가 사는 모습이 믿어졌겠느냐고 반문한다. 그렇지만 사람이 모국어로 시를 읽고 느끼는 감정은 그 사람이 살아오면서 접한 환경과 그것을 통해서 가진 경험과 우리 내부의 복잡한 신경 정신적인 반응의 결과다. 이것을 어떻게 기계가 대체할 것인지 여전히 의문이다. 두보와 이백의 시는 음절로 5개나 7개에 불과하지만 그 시를 읽을 때 살아나는 감정은 무한하다. 그것을 컴퓨터가 포착한다는 것은 불가능해 보인다.

−인간이 생물학을 넘어서면

책의 부제목은 '인간이 생물학을 초월하는 순간'이다. 사람이 자기 신체의 한계를 뛰어넘는 단계를 말한다. 나노기술은 사람의 심장, 신장, 간 등의 장기를 전혀 새롭게 만들 수 있다. 모든 장기를 나노 크기로 분석해 완전히 해체하고 재조립하는 방법으로 새로 만드는 것이다. 마치 기계공학에서 역공학, 또는 역설계(Reverse-Engineering)로 새로운 기계를 개발하는 것과 같다. 인체의 장기는 언제든지 새롭게 강화될 수 있고 교체도 가능하다. 또한 유전자 조작으로 줄기세포를 새롭게 만드는 방법도 있다. 실험실 수준을 넘어 다양하게 광범하게 줄기세포가 양산되면 누구나 신체의 장애나 결함 있는 인체조직을 재생시킬 수 있다. 늙지 않고 죽지 않는, 인간의 불로장생 욕망이 실현되는 것이다.

자신의 신체를 역설계나 유전자 조작으로 언제든지 바꿀 수 있다는 것은 개인의 정체성(Identity)에 대한 관념을 바꾸어 낼 것이다. 특히 인간의 뇌를 컴퓨터와 접속하고 정보를 빌리거나 공유할 수 있다면 더더욱 개인의 정체성에 관한 회의를 피할 수 없다.

기본소득의 맥락

엉뚱한 논의와 연결되기도 한다. 기본소득을 보는 관점은 다양하지만, 그 중에서 일자리가 사라진 사회에서 인간이 최소한의 존엄을 지키기 위해서 필요한 돈을 보편적으로 지급해야 한다는 견해가 있다. 그 의견에 따르면 기본소득의 재원은 당연히 사람의 일자리를 기계로 대체하면서 취하는 이득에 과세를 해서 마련하자는 것이다.

빌 게이츠가 말하는 기계세, 또는 로봇세가 그것이다.

그런데 커즈와일의 예측을 따라가면, 로봇 때문에 사람의 일자리를 줄인 기업에 로봇세를 부과하는 것은 얼마 안가서 곧 기계, 로봇 자체에 소득세, 즉 근로소득세를 부과하는 것으로 바뀌게 될지도 모른다.

나는 왜 나이고, 너는 왜 너인가

신체 장기를 언제든지 재생시키거나 교체할 수 있고, 뇌의 기능을 완전히 동일하게 수행하고 연산능력은 오히려 훨씬 뛰어난 기계를 뇌에 임플란트하거나 마치 외장하드를 쓰듯이 언제든지 접속하고 업로드와 다운로드할 수 있다면 우리는 심각한 질문에 답해야 한다.

'나는 왜 나이고, 너는 왜 너인가?' 이 물음에 답하기 쉽지 않을 것이다. 분명하게 답할 수 없다면, 분리할 수 없는 개인을 전제로 하는 개인주의와 자유의지가 설 자리가 없다. 개인주의와 자유의지, 이를 바탕으로 하는 자유주의는 낡은 이념이 될 것이고, 결국 인본주의의 위기가 동시에 진행될 것이다.

사람과 기계, 로봇이 서로 얽혀서 주관과 객관이 혼재하는 상황이 되면, 당연히 인본주의와 인간존엄의 가치도 위협받을 수밖에 없다. 극단적으로 인간은 기계 속에 또는 온라인 속에 존재하다가 필요할 때 기계의 도움으로 나타나는 상황도 가능하다. GNR의 발달이 가지고 오는 변화가 특이점을 향해 가는 것인지 따지기 이전에 지금의 전개 과정 자체를 인간이 견딜 수 있을 것인지 의문이다.

인간은 언제나 한계상황에서 새로운 해답을 찾아왔다. 한계상황에서 인간이 발휘한 능력은 놀라운 것이다. 문제는 한계상황에서 어떤 욕망이 나를 이끌어 그 상황을 돌파할 것인가이다. 유발 하라리는 불멸, 불로장생과 강한 힘을 향한 욕망이 다음 단계 인류의 과제라고 한다. 그러나 과연 인간이 인간다워지고 싶은 욕망이 얼마나 강한 것인지 논의하지는 않았다. 비록 좀 약하고 부족하더라도 나 다운 나, 인간 다움의 가치를 버리고 싶지 않을 것이다. 나 자신은 누구와도 대체될 수 없는 완전한 나이고 싶은 욕망을 이길 수는 없을 것이다. 불멸의 욕망은 인간다움의 욕망 다음에 오는 이차적인 욕망이다. 인간에 대한 낙관은 인간성에 대한 낙관이다. 그래서 우리는 과학기술의 발달 앞에 인간 중심의 해답을 찾을 수 있을 것이라고 믿는 것이다.

―유학과 공자학원

 아시아의 종교 전통이 과학 기술의 발달에 대안적 방향을 제시할 수 있을 것이라는 이야기는 일찍부터 있었다. 그 중 하나가 공자로 대표되는 유가 전통이다. 한때 공자와 유학을 공부하려면 중국에 가지 말고 한국에 가야 한다고 했다.

 중국은 5.4운동에서 문화 대혁명에 이르기까지 오랜 기간에 걸쳐 유교의 전통을 뿌리뽑아야 할 악습으로 간주했다. 이 기간 동안 공자는 중국이라는 대제국을 망하게 한 주범의 이름이었고, 문화대혁명에서 공자는 타파해야 할 구시대 봉건제의 상징으로 여겨졌다. 유교의 모든 전통과 급진적 단절이 이루어졌다.
 그러나 1991년 장쩌민 전 주석은 유가사상에 기초한 중국 민족의 우수한 전통 문화에 대한 재평가를 정부의 공식 방침으로 채택했다. 2004년부터는 공자학원을 전 세계에 지었다. 시진핑 주석은 2012년 '중국민족의 위대한 부흥'을 실현하겠다는 중국몽(中國夢)을 주창하고 이듬해 산둥성에 있는 공자묘를 참배하기에 이른다. 중국몽은 국가의 이념적 상징이 되었고, 그것은 2015년 국가 전략으로 채택된 일대일로(一帶一路)에서도 더욱 구체화된다.
 최근 미국과 유럽에 급속히 퍼져 나가던 공자학원이 경계의 대상이 되고 있다. 스파이 혐의까지 받고 추방되는 사례도 있다. 공자를 중국 전통의 대표적 아이콘으로 설

정함으로써 정치적 경제적 패권뿐만 아니라 문화 패권을 장악하고자 하는 의도에서 유가사상을 이용한다는 의심은 당연한 것이다. 미국과 중국 사이의 무역 마찰 와중에 공자학원까지 중국의 현실적인 불리력으로 경계되는 상황이다.

─대체될 수 없는 나를 찾아서
그럼에도 불구하고 과학기술 발전의 속도가 가속되고, 특이점의 디스토피아가 그려지는 이 때, 인간과 우주의 본성을 깊이 천착하는 지적 대안이 등장할 것이라는 기대는 무리가 아니다. 특히 아시아의 전통 가운데는 유학이라는 커다란 지적 성취가 있고, 그것이 어떤 계기에 자기 역할을 찾을 것이라는 기대는 적절하다. 인간은 자신의 내면에 깊이 들어가 누구와도 대체될 수 없는 나를 찾고자 하는 강렬한 욕망을 갖고 있기 때문이다. 근원적인 인간의 욕망이다.

─전통의 동래, 유교의 기회
동래의 또 다른 가능성은 충렬사와 동래 향교, 안락서원에 뿌리를 갖고 있다. 임진왜란 초기 동래부사 송상현과 부하 장수들, 그리고 성주민들의 전투와 희생은 삶의 터전과 강토를 지키는 본원적 저항이었고, 조선시대 유교 가치관의 최상급 실천이었다. 이후 사당이 세워지고 서원의 격이 높아지며 향교가 활성화되었다.
유학의 현대적 가치를 연구하고 교육하고 실천할 수 있

는 장으로서 동래는 훌륭한 베이스를 갖고 있다. 철학적 가치와 함께 문화적 가치를 살릴 수 있는 유형 무형의 콘텐츠를 복원하거나 개발하고, 이것이 대중적 교육과 관광 프로그램으로 연결되면 큰 시너지도 낼 수 있다. 유학이 갖는 인간과 우주에 관한 철학적 사유와 논리, 그리고 인간의 행동을 예(禮)와 악(樂) 속에서 표출되는 정신으로 보는 문화적 전통이 학업에서도 큰 힘을 발휘한다. 어려서 서당교육을 받거나 한학을 공부한 사람들이 정규 교육과정에서 탁월한 성과를 내는 사례가 많다.

이른바 G2의 마찰이 잦아지고 심해지면서, 중국이 자기 브랜드로 전세계에 세운 공자학원(Confucius Institute)이 중국몽이나 일대일로, 대륙굴기의 일환으로 읽혀서 쫓겨나는 상황은 역으로 우리에게 틈새의 기회가 될 수 있다. 유학의 전통을 현대적으로 해석하고 다시 문화와 교육과 축제로 프로그램화 시켜내면, 동래는 아시아의 전통을 현대적으로 보여주는 도시가 될 수 있다.

협력의 힘은 강력하다. 우리가 누리는 거의 모든 문명은 협력의 산물이다.

협력은 번영과 존엄의 차원 모두에 결정적인 것이다.

협력에 대한 필요와 갈망은 우리 유전자에 각인되어 있다.

협력은 번영이고 새로운 단서이자 문제해결인 동시에 또 다른 가능성이다.

협력은 사람들 간의 유대감을 강화한다.

유대감은 잘 사는 것과 직결되는 문제이다.

정치는 협력을 잘 이끌어내는 것이다.

3장

정치는

협력을

잘 이끌어내는 것이다

1. 협력으로 딜레마에서 탈출할 수 있다

「협력의 진화」 로버트 액설로드

－빛나는 생각

중앙권위체가 없는데도 이기주의자들 사이에서 어떻게 협력이 생겨날 수 있는지 진화적 관점에서 살펴보기 시작했다. 진화적 관점은 세 개의 분명한 질문을 제시했다.

첫째, 애초에 압도적으로 비협력적인 환경에서 잠재적으로 협력적인 전략이 어떻게 자리 잡을 수 있을까?

둘째, 온갖 세련된 전략들을 구사하는 개인들이 잡다하게 뒤섞여 있는 환경에서 살아남을 수 있는 전략은 어떤 것일까? 셋째, 그 전략이 한 집단에서 자리 잡은 후 덜 협조적인 전략의 공격을 견디게 해주는 조건은 무엇일까?

다른 의원들과 상호작용을 제대로 못하는 국회의원은 의원 자리를 오래 유지하지 못하고 도태된다.

믿음직한 낙관론(귀족적인 낙관론)

호혜주의 구축

개인적으로 합리적인 결론이 두 사람 모두에게 더 나쁜 결과를 가져오는 것이다. 이것이 딜레마다. 죄수의 딜레마는 협력하면 둘 다 이득인데도 각자 자신에게 최선의 선택을 하다 보면 결국 상호배반이 일어나는, 매우 흔하고도 극히 흥미로운 여러 상황을 추상적으로 단순하게 모형화한 것이다.

죄수의 딜레마를 정의하는 두 번째 특징은 서로 번갈아 상대를 이용해도 딜레마에서 벗어날 수가 없다는 점이다.

둘 사이에 상호작용 횟수가 무한할 때는 협력이 정말 일어날 수 있다.

협력의 창발을 가능하게 해주는 것은 두 경기자가 다시 만날 수도 있다는 사실이다.

팃포탯은 첫 게임에는 협력하고 그 다음부터는 항상 상대가 바로 전에 한 대로 하는 전략이다.

네 가지 행동 규칙

상대가 협력하는 한 거기에 맞춰 협력하고 불필요한 갈등을 일으키지 말 것

상대의 예상치 않은 배반에 응징할 수 있을 것

상대의 도발을 응징한 후에는 용서할 것

상대가 나의 행동 패턴에 적응할 수 있도록 행동을 명확히 할 것

협력이 진화하려면 개인들이 다시 만날 확률이 충분히 커서 미래에 서로 이해관계로 얽힐 것이라고 믿어야 한다. 그렇기만 하면 협력은 세 단계에 걸쳐 진화한다.

1. 배신만 하는 세계에서도 협력은 싹틀 수 있다. 아주 작게나마 대가성 협력을 바탕으로 서로 상호작용하는 무리가 있다면 이들로부터 협력이 진화할 수 있다.

2. 호혜주의를 기초로 한 전략이 수많은 전략들이 난무하는 세상에서 살아남는다.

3. 협력이 일단 호혜주의를 원칙으로 안착되면 덜 협력적인 전략들에 맞서 스스로를 지켜낼 수 있다.

 협력이 일어나기 위해 우정이 필요하지는 않다. 적절한 조건만 갖춰지면 적과 적 사이에서도 호혜주의에 입각한 협력이 발전될 수 있다.

 팃포탯전략의 제안
 1. 남의 성공을 질투하지 말 것(신사적 행동)
 2. 먼저 배신하지 말 것
 3. 협력이든 배신이든 그대로 되갚을 것
 4. 너무 영악하게 굴지 말 것

 상대 경기자의 도전에 즉각 반응을 일으키지 않는 느긋한 경기자는 더욱 빈번하게 상대에게 이용당한다.

 팃포탯은 신사적이고, 관대하고, 보복적이다. 결코 먼저 배신하지 않고, 한 차례의 배반은 즉각 응징한 후 용서하고 잊는다. 그러나 그 동안의 관계가 아무리 좋았어도 배반은 절대 눈감아 주지 않는다

 비신사적인 것이 처음에는 유망해 보이지만 장기적으로 그것은 자신의 성공에 필요한 환경 자체를 파괴하는 게 된다.

 팃포탯은 자신의 명료성 덕을 보는 것이다. 팃포탯은 다른 규칙들을 착취해 이드글 보려하지 않는다. 팃포탯의 강건한 성공은 신사적이고, 보복적이고, 관대하고, 명료한 특성들이 조합된 결과다. 신사적이라 쓸데없는 문제에 휘말리지 않고, 보복적이라 상대가 배반을 시도할 때마다 더 이상 지속하지 못하게 억제한다. 관담함은 상호협력을 회복하는 데 도움이

되며, 명료성은 상대로 하여금 이해하기 쉽게 해서 장기적 협력을 이끌어낸다.

 무리짓기 개념은 비열한의 세계에서 협력이 시작될 수 있는 기제를 제공해 준다. 식별력 있는 개인들이 모인 작은 무리로부터 이들이 작은 규모나마 상호작용하기만 하면 협력은 창발된다. 조건만 맞으면 우정이나 지능 없이도 협력이 진화할 수 있다.

 협력이 시작되는 것만큼 협력이 유지되는 조건들도 중요했다. 상호협력을 유지할 수 있는 전략은 도발이 있을 때 이를 응징할 수 있는 것이었다. 생물들 사이에 협력이 진화하려면 상대의 배반을 반드시 응징할 수 있어야 한다.

 질투는 스스로를 파괴한다.
 팃포탯은 참가 프로그램들과 대전을 하면서 단 한 차례도 상대방보다 좋은 점수를 받은 적이 없다. 처음부터 끝까지 언제나 높은 점수를 얻도록 상대를 유도함으로써 다른 어떤 전략보다 높은 총점을 기록할 수 있었다.

 상대방의 성공이 사실상 내가 성공을 거두기 위한 전제조건이다. 신사적이지 않은 전략은 처음에는 전도유망해 보이지만 장기적으로 자기 성공에 필요한 환경을 스스로 파괴하여 결국 몰락하고 만다. 팃포탯은 자기 성공의 발판을 파괴하지 않는다. 다른 성공적인 전략들과 어울려 상호작용함으로써 번성한다.

 영원한 복수는 상대가 배반할 수 없게 하는 최대의 동기를 주므로 똑똑해 보일 수도 있다. 그러나 자신에게 돌아오는 이득은 형편없다.

 상호작용이 반복되지 않는다면 협력이 일어나기 힘들다. 계속적으로 이어지는 상호작용은 호혜주의에 입각한 협력이 안정적으로 자리를 삽게 해 순다.

 상호작용의 증진을 위해서는

 1. 현재와 비교해 미래를 더 중요하게 만들 것(미래의 그림자를 확대하는 것)

 2. 네 가지 가능한 결과에 대한 보수의 크기를 바꿀 것

 3. 협력을 증진시킬 수 있는 가치관과 그에 대한 사실과 요령을 가르칠 것

 교섭의 맥락에서 무리 내 상호작용이 더 자주 일어나게 하는 또 하나의 방법은 쟁점을 작게 조각되는 것이다. 예를 들어 군비 축소나 비무장 조약은 여러 단계로 세분화할 수 있다. 이렇게 할 때 양측은 한두 차례의 커다란 선택을 하는 대신 상대적으로 작은 선택을 많이 할 수 있다. 작은 협상을 많은 단계에 걸쳐 하는 것은 두세 단계에 결판을 내는 것보다 협력 증진에 더 도움이 된다. 매우 중요한 상호작용을 덜 중요한 작은 상호작용들로 쪼개면 협력의 안정서을 증진시킨다.

 무조건적인 협력보다 호혜주의가 더 든든한 도덕의 토대가 된다.

 공평함 이상을 원하지 않는다는 점은 호혜주의에 입각한 수많은 전략들이 가지고 있는 기본 속성이다.

 비록 작은 비율이라도 자기들끼리 상호작용을 할 수 있을 정도로 무리가 지어져 있으면 얼마든지 비열한들의 집단에 침

범할 수 있다.

빠른 인사교체는 조직 내 협력을 그만큼 감소시킨다.

많은 경우 대응이 도발보다 약간 작을 때 협력의 안정성이 강화된다.

좋은 성과를 내는 비결은 상대방을 누르고 이기는 것이 아니라 상대방에게서 협력을 유도하는 것이다.

─참호전의 추억

제2차 세계대전에서 독일은 전격전을 펼쳐 단숨에 프랑스를 점령한다. 프랑스는 마지노선이라 불린 요새를 믿고 있다가 독일 전차의 기동력에 허를 찔린다. 프랑스의 전략은 실패했다. 프랑스의 실패는 제1차 세계대전의 경험에서 벗어나지 못해서 온 것이다. 제1차 세계대전은 육상에서는 참호전이 전쟁 양상이었다. 전쟁의 양상은 장비의 기동력이나 보급로의 길이와 같이 당대의 기술 수준의 한계를 벗어나지 못한다. 프랑스는 독일 전차의 기동력이나 아예 보급을 무시하고 달리는 전격전을 생각하지 못했다. 참호전의 경험에서 그냥 더 좋은 참호인 마지노 요새를 짓는 것에 그친 프랑스는 패배했다.

참호전은 장기전이었다. 총을 쏘거나 돌격하는 것은 상대방에게 치명적인 피해를 입히기 어려웠고 오히려 아군의 피해가 더 컸다. 제1차 대전 중에는 휴머니즘을 보여주는 일화가 많다. 양측 군대가 참호에서 나와 크리스마스를 함께 즐겼다는 이야기는 그 일례다. 참호전에서 양 진영이 균형을 이루는 것은 참호를 파고 들어가 대치하면서 서로 치명적인 공격을 하지 않았기 때문이다. 그 유명한 팃포탯(Tit for tat) 전략으로 설명되는 이야기다. 우리 진영이 다른 진영 참호를 포격해 치명적 피해를 입히면 상대방도 우리 진영에 똑같이 치명적 피해를 입힌다는 것을 서로 알게 된 후에는 어느 쪽도 먼저 상대방에 치명적 공격을 하지 않은 것이다.

−죄수의 딜레마, 아담 스미스

죄수의 딜레마는 서로 격리된 두 죄수가 서로 이타적인 선택을 하면 함께 최선의 결과를 낼 수 있는데도 불구하고, 상대방이 이타적 선택을 할 것이란 것을 믿지 못하기 때문에 자신이 이기적인 선택을 하고 상대방도 마찬가지로 이기적 선택을 하게 된다는 것이다. 물론 자기만 이타적 선택을 하는 최악의 경우는 피할 수 있지만, 두 죄수 각자의 최선의 선택이 두 죄수 모두에게 최선이 되는 것은 아니라는 것이다.

이 결론은 좀 단순화하면, 시장에서 각자의 이기적 선택이 합해지면 보이지 않는 손이 작동해서 전체의 합은 최선이 될 것이란 아담 스미스의 가설을 반박하는 것이 된다.

−팃포탯 전략

로버트 액셀로드는 원래 정치학자다. 그가 경제학에서 증명된 '죄수의 딜레마'를 갖고 와 전략 시뮬레이션 게임 대회를 열었다. 죄수의 딜레마 상황이 경제학의 가정처럼 단 1회에 그치지 않고, 동일하게 여러 번 반복되는 경우 어떤 전략이 최적의 전략인지 공모한 것이다. 그 경쟁에서 우승한 전략이 팃포탯 전략이다.

먼저 협력적이고 이타적인 행동을 보여준다. 상대방이 같이 협력적 이타적으로 나오면 최선이다. 만약 상대방이 이기적 위해를 가하면 다음번에 동일 보복, 똑 같이 위해를 가한다. 다음 번에 상대방이 협력적 이타적 행동을 보이면 반드시 똑 같이 협력적 이타적으로 행동한다. 협력의 진화가 이루어 지는 것이다.

일상적 상황에서 팃포탯 전략이 통하려면, 다시 조우할 가능성이 높아야 한다. 흔히 '세상 좁다. 다시 안 볼 것처럼 굴지마라'는 말은 자주 한다. 다시 만날 가능성이 매우 커서 미래에 서로 얽힐 것이라고 서로 믿는 상황에서 팃포탯 전략은 매우 타당하다. 사람은 사회적인 관계를 반복하면 할수록 협력적으로 진화할 가능성이 커진다.

─협력의 진화

협력은 진화한다. 무조건 배신이 지배하는 세상에서도 협력이 생길 가능성이 있다. 아주 작게나마 서로 대가성 있는 협력을 바탕으로 상호작용하는 그룹이 있다면 이 그룹으로부터 협력이 진화할 수 있다. 수많은 전략 중에서 호혜주의를 기초로 하는 협력이 살아남을 수 있고 안착될 수 있다. 일단 협력이 호혜주의 원칙에 기초해 안착이 되면, 덜 협력적인 전략으로부터 자기를 방어할 수 있게 된다.

협력이 생기는데 반드시 우정이 필요한 것은 아니다. 적절한 호혜의 조건만 성숙되면 적과 적 사이에서도 협력이 생길 수 있다. 미국과 북한, 남북한, 한국과 일본, 미국과 중국 등 동북아의 세력들은 서로 동맹과 적대, 협력의 관계를 중첩적으로 맺고 있다. 동맹 사이에서도 경제적 정치적 갈등이 있고, 협력 관계에서도 비협력적 분쟁이 생길 수 있고, 동맹 바깥에서 더 큰 협력이 일어날 수도 있다. 이렇게 양자가 아닌 다자간의 협력과 협력의 진화에 관한 일반 이론으로 전개될 수 있을 것인지는 알 수 없다. 그러나 서로 이기적이고 비협력적인 선택을 하면 늘 차악 이하의 상황을 벗어나지 못하는 죄수의 딜레마에서 탈출하기 어렵다.

특히 교섭의 맥락에서 세력간 상호작용이 더 자주 일어나는 것이 좋고, 그를 위해서 쟁점을 작게 조각내는 것도 방법이다. 예를 들어 핵무기 제거나 미사일 군축에 대해서도 여러 단계로 세분화하는 것이 이론적으로는 협력을 높이는데 유리하다. 한두차례 커다란 선택을 하는 대신에 상대적으로 작은 선택을 반복해서 많이 할 수 있다. 이것은 협력 증진에 도움이 된다. 매우 중요한 상호작용을 덜 중요한 작은 상호작용으로 쪼개면 협력의 안정성이 증진된다.

갑과 갑의 갈등은 상대적으로 해결이 용이하거나 타협을 찾기 쉽다. 갑과 을의 갈등은 또한 축적된 경험과 제도적으로 확립된 룰을 통해 어느정도 타협이 가능하다. 그러나 택시와 타다의 갈등, 프랜차이즈 가맹점과 골목시장 상점의 갈등, 영세상공인과 비정규직 서비스 노동자의 갈등은 을과 을의 갈등이고 한국 사회가 근래에 직면하는 새로운 갈등이다. 또한 을들은 조금만 물러서면 낭떠러지에서 굴러 떨어지게 되는 상황이라 서로 물러설 수 없는 갈등인 경우가 많다.

─협력을 잘 이끌어 내는 것

이런 상황이야 말로 협력의 진화가 싹틀 수 있도록 해야 한다. 로버트 액셀로드는 사실 팃포탯 전략 이론을 통해 중앙의 권위적 통제 없이도 개별적인 협력이 일어날 수 있다는 것을 보여준다.

그렇지만 을과 을의 갈등은 정치가 큰 책임감을 가져야 한다. 원래 제도가 미래를 대비하기는 어려운 법이다. 다만 임박한 갈등을 미리 해소시키려는 노력은 정치의 부지런함이 감당해야 한다. 물론 을과 을 사이에서도 비제도적 방법으로 협력을 증진시킬 방법을 스스로 모색해야 한다. 우선 상대방에게 이익이 되는 대가를 찾아서 제공하고 상대방도 호혜의 정신으로 이에 호응할 때 협력이 살아나고 진화해서 안착된다. 부지런한 정치가 이를 도와주어야 한다.

정치가 협력을 잘 이끌어내면 경제를 비롯한 사회 각 분야에 새로운 장이 열릴 수 있다. 정치가 협력을 이끌어내는 방법은 두가지가 있을 수 있다. 하나는 제도를 잘 만드는 것이다. 비용과 이익을 합리적으로 배분하면 상호 협력이 수월하다. 물론 제도는 그 효과가 동심원과 같이 퍼져야 하는 것이라서 특수한 경우에 비용과 이익의 불균형이 발생할 수 있지만, 그 역시 부지런한 정치가 감당해야 한다. 두번째는 사회적 소통을 주도하고, 대립하는 이해관계자 사이에서 비권위적 조정자 역할을 하는 것이다. 그래서 제도적 밖에서 상호 협력의 사례를 만드는 것이다. 종교나 윤리적인 호소로 협력을 구하기는 어렵다. 오히려 무조건적 협력보다는 호혜주의가 더 든든하고 안정적인 협력의 도덕적 기초가 된다.

2. 뜨거운 리더십이 협력을 이끈다
「뜨거운 노래는 땅에 묻는다」 최평규

─빛나는 생각

 이 관계가 얼마나 상호협력적이고 호혜적인가에 따라서 산업생태계의 건강성이나 지속성이 좌우되는 것입니다.

 나는 현실에 대해서 그렇게 낙관하지 않습니다. 오히려 비관적인 쪽에 가깝지요. 그렇지만 미래에 대해서는 대단히 낙관적입니다. 현재와 미래 사이에 사람이 있고, 그 사람은 부지런히 일하는 것이 본성이거든요. 부지런히 일하는 데서 보람을 찾는 것이 사람입니다.

 부지런히 일하는 데서 보람을 찾는 것이 사람의 본성이고 그렇게 일하면 회사가 잘된다는 것은 내 경험상 틀림이 없었습니다.

 내 생각의 중심은 기술이고 사람입니다.

 하루하루 내 일의 과정은 사람과 기술의 변화를 돕는 것입니다.

 '내가 열심히 고민하고 연구해서 다 함께 사는 방법을 찾을 테니 나를 믿고 따라와주세요'

 하이파이브 시원하게 하는 것, 그것을 '최평규식 경영'이라고 한다면 나는 만족합니다.

기업에서 비전과 철학이라는 말만큼 공허한 것이 또 있을까요. 힘들여 실천을 해야 해요. 구체적으로 역행(力行)을 해야 비로소 의미가 있다는 말입니다.

　기업만이 아니라 사회가 포기할 수 없는 자산이지요. 그리고 한 기업에 축적된 기술은 그 기업의 과거이고 미래입니다. 기계공업의 M&A는 과거를 보고 미래에 투자하는 것입니다. 그리고 인생을 걸고 전력투구하는 것이지요.

　경영은 고난의 과정입니다. 기업하는 사람이 조금만 게으름 피우고 딴 생각하면 시쳇말로 한방에 가기 십상입니다.

　더 노력해서 살아남아야 하고, 그렇게 고행(苦行)을 하는 것입니다.

　벽을 허물고 신뢰를 쌓아가는 과정이 필요합니다. 변화의 방향과 비전을 제시하는 일은 경영자가 말이 아니라 실천으로 보여주어야 합니다. 시간이 말을 하게 하는 것이어서 결국 다시 현장경영으로 돌아오지요.

　변화도 시급성과 중요성을 기준으로 나누어서 우선순위를 정하고 관리 가능한 방법으로 진행해야 합니다.

　생산성 향상이 이익으로 연결되고 이익이 신규투자와 사원들의 리워드로 돌아가서 다시 생산성이 향상되는 선순환이 시작되어야 한다는 것이 경영정상화의 첫째 요건일 것입니다.

　기업인이 자기 업의 본(本)을 바로 세워야 합니다. 공자님 말씀처럼 먼저 본립(本立)하면 도생(道生)하는 것이지요.

　'사람 살리는 M&A'

결론만 경영이 아니고 과정도 경영입니다. 과정이 다르면 결론은 같아도 '결과와 여파'는 달라질 수 있습니다.

법적으로 흠결이 없고, 회사를 살리기 위한 최선의 선택이어서 도덕적으로 비난하기 어렵다고 하더라도, 경영인이 현장에서 사람들과 부딪치며 답을 찾는 수고까지 다한 것인지는 돌아보아야 합니다.

위기는 기업의 존재형식이라고 보아도 무방합니다. 기업에게 시간은 곧 위기 그 자체라는 말이지요.

기업인은 늘 조마조마하고 조심하면서 살피고 돌아보아야 합니다.

기업은 우선 언젠가는 망한다고 하는 '기업의 운명'과 그런 기업을 존속시키기 위해서 짊어지고 가야 할 '기업인의 숙명'을 냉정하게 보고 받아들이는 것이 필요합니다.

궁극까지 기업의 운명을 받아들이면 거기서부터 기업인에게는 기업의 운명에 대한 무한 책임감만 남습니다.

솔선수범하고 자기 희생하는 기업인이 있으면 기업은 쉽게 망하지 않습니다.

기업인의 숙명은 바로 단 하루라도 기업을 오래 존속시키는 것입니다. 하루라도 늦게 망하게 해야 한다는 것이지요. 이것이 곧 기업이 부담하는 사회적 책임의 본령입니다.

문제가 있는 현장에 기업인이 가 있어야 하고요. 그리고 정직하게 문제와 직면해야 합니다.

위기가 그냥 기회가 되는 것은 아닙니다. 사람이 몸을 움직여서 만들어야 하는 것이지요.

어떤 도약으로 보이는 변화의 곡선들을 미분(微分)해서 보면 그 안에 충실한 변화의 이유가 빼곡히 있습니다.

노사갈등의 구체적인 사안마다 성실하게 분석해보면 그다지 적대적인 대립이 필요 없는 경우가 많습니다.

회사의 주장이 받아들여지든지 노조의 주장이 수용되든지 간에 그 결정은 대화의 결과이고 상생의 방법이지 누가 이기고 누가 지는 결론이 아니라는 말이지요. 이것이 노사상생의 본 모습입니다.

결정하는 과정을 이끌고 결정한 이후에 회사 구성원 어느 누구도 뒤처지거나 일방적인 패자로 남지 않도록 끊임없이 대화하고 조정하는 역할도 경영자의 몫입니다.

나는 사업을 하면서 세상을 배웠고, 사업을 통해서 인생의 희로애락을 알았습니다.

나는 뿌린 대로 거둔다는 섭리가 내 인생을 가치있게 해주었다고 믿습니다.

회사 밖의 거래관계이든 아니면 조직 내부의 일이든, 비용과 편익, 투자와 수익, 일과 보상을 배분하는 가장 합리적이고 설득력 있는 기준을 찾고 판단하는 것이 경영자가 매일 하는 일이지요. 합리적이고 설득력 있는 기준은 정의입니다.

뿌린 대로 거둔다는 섭리는 과도한 욕망 앞에서 나를 절제시키고 균형을 잡아줍니다. 행운과 불운 앞에서 부지런함을 잃지 않게 해주는 이유도 되고요. 나의 내면의 균형추는 부지런함입니다. 섭리의 무거운 무게만큼 내 부지런함도 충분히 무거워야 균형이 유지될 수 있다는 말이지요.

나는 실패와 성공이 피할 수 없이 무거운 섭리라 생각하면서 언제나 다른 한편에서 부지런함으로 그 무게를 감당함으로써 균형을 잡아왔습니다.
 내가 경험한 부지런함의 미덕은 이루 말할 수 없이 많습니다.
 실수로 차선의 길을 가더라도 더 부지런하고 성실하게 가면 곧 최선의 길을 다시 만나게 되는 것이지요.

 부지런함은 인간의 본성입니다. 그것은 오직 영혼이 있는 인간만이 가질 수 있는 자기절제와 의지의 표현이기 때문이고, 뿌린 대로 거두고 지성이면 감천이라는 우주의 섭리에 연결되어 있기 때문입니다.
 기업인은 자기 기업을 근면의 표상으로 만들어야 합니다.
 상위 책임자일수록 더 많은 현장을 책임지기 때문에 더 바쁘게 움직여야 하지요.
 문제를 상대로 같은 편이 되는 겁니다. 즉, 같은 편끼리 느끼는 공감대를 말하지요.
 소통은 소통이 필요한 사람들 사이의 '관계 문제'로 접근해야 하지 않을까요.
 문제가 과연 무엇인지 찾는 것이 중요하지요. 소통은 그 과정으로서 필요한 것입니다. 그래서 소통이란 '관계의 진실이 무엇인지 찾아 가는 과정'이라고 말할 수 있습니다.
 노사관계 경영은 그 자체가 어려운 것은 사실이니까요. 어떻게 보면 국가가 할 일이나 사회적으로 풀어야 할 문제가 고스란히 기업에 전가되어서 생기는 문제가 많습니다.

회사는 노조의 집단적 감성까지 조심스럽게 배려하면서 노사상생의 방향으로 가야 합니다.

파격이라고 하더라도 모두 원칙을 지키기 위한 파격이지, 파격을 위한 파격은 없었습니다.

원칙을 지키기 위해서 누군가 기여를 하고 때론 희생할 필요가 있다면 그때 경영자가 먼저 희생하고 원칙을 지켜야 합니다.

어차피 기업은 착한 기업도 되어야 하고 강한 기업도 되어야 합니다. 어느 하나만 강조할 수는 없는 일입니다.

원칙을 지키는 리더십이라는 말은 기업을 더 착하게 하는 원칙과 기업을 더 강하게 하는 원칙을 경영과정에서 실현하는 것입니다.

'경영을 통해서 세상을 이롭게 하는 기업'

정도경영의 리더십은 사회를 이롭게 하고 다시 기업도 이롭게 합니다.

원칙을 지키는 리더십이 생동감 있는 리더십이 되기 위해서는 리더의 솔선수범이 필요하다는 말입니다. 리더가 솔선수범해서 혁신을 위한 원칙을 지키면 기업 혁신의 성공은 시간문제일 것입니다.

나는 항상 미래를 긍정합니다.

당장 눈앞의 일은 철저히 비관적인 의문을 갖고 봅니다.

일을 점검 할 때는 가능한 이유를 찾는 것이 아니고 오히려 불가능한 이유를 찾아서 하나씩 제거해나가는 방법도 써보아야 합니다. 비관적 검토입니다.

 미래에 대한 낙관적 비전과 현재에 대한 비관적 검토는 내가
일하는 방식입니다.

−비영리 단체의 경영

 2004년까지 30대 후반의 4년 동안은 비영리 단체 경영과 그 실패를 경험했다. 기업경영을 학문의 차원으로 끌어 올린 사람은 '피터 드러커'라고 한다. 명성이야 워낙 많이 들었지만, 드러커의 경영 서적을 처음 본 것은 시민 방송 재단에서 사무국장을 맡고 서다. 한국디지털위성 방송(스카이라이프)이 위성사업자가 되면서 시민사회에 시민채널을 보장했다. 시민사회는 새로운 매체를 통해 새로운 공론의 장을 만들 호기라고 생각했다. 시민채널을 운영하기 위해서 시민사회가 합심해 만든 비영리 조직이 재단법인 시민방송이다. 창비 백낙청 교수님이 재단 이사장을 맡으셨고, 기라성 같은 시민사회 대표들이 이사진과 운영위원으로 참여했다. 방송은 시설과 장비에 투자가 많이 들어가는 사업이고 고비용이 드는 사업이다. 이런 방송을 비영리 재단이 운영한다는 것은 처음부터 무모해 보이는 시도였다. 재단 사무국장으로 비영리 방송을 경영하면서 한계에 부딪혔다. 대부분 참여자들은 시민채널을 미디어 운동의 새로운 장으로 생각했기 때문에 명분에 헌신한다는 운동가의 사고만 있었고, 목적을 이루기 위한 경영자의 생각은 하지 못했다.

 그때 피터 드러커의 『비영리 단체의 경영』을 처음 읽고 경영의 세계에 눈을 뜨는 기분이었다. 그는 좋은 의도에 헌신하는 사람들의 마음은 높이 평가하지만, 좋은 의도만으로 비영리 조직의 목적을 달성할 수 없다는 점을 강조한다. 또한 비영리 조직에서 일하는 사람은 조직이 목적을 달성하지 못하면 그 좋은 의도로부터 소외되고 결국 스스로 소진되고 만다고 지적한다. 그리고 비영리 조직을 운영하는 사람에게 당부한다. '의도가 좋다는 것만으로는 부족하고, 맡은 과업의 진정한 성과를 위해서 강력하고 효율적이며 목적에 부합하는 경영이 필요하다'고 했다. 사람이 '영리활동으로 하는 일과는 다른 어떤 일을 하면서 각 개인이 스스로 맡은 책임을 수행함으로써 오는 행복감이 필요하다'고도 했다.

시민사회가 비영리 재단으로 시민채널을 운영하겠다는 시도는 결국 성공하지 못했다. 한동안 재단법인 시민방송의 실패를 곱씹었다. 사무국장으로서 리더십의 실패였다. 그때도 경영 마인드의 필요성은 인정했으나, 경영 마인드가 무엇이고 어떻게 하는 것인지 솔직히 알 수 없었다. 비영리 조직을 경영하면서 나는 뜨거운 리더십이 생기지 않았다. 그저 힘들고 괴로운 상황의 연속이었다. 그 이유를 알 수가 없었다. 돌고 돌아 헌신의 부족이나 공부의 부족을 탓하게 됐고, 더 많이 헌신하지 못한 리더십의 불철저함을 탓했다. 그런데 무언가 부족한 공허함을 매울 수는 없었다.

─ 한국 기업의 위상

미국에서 처음엔 인권법을 공부할 마음으로 로스쿨에 갔다. 인권법으로 100년의 명성을 쌓은 학교였지만 이제는 이미 인권법이 별 인기가 없었고 지도교수도 마땅

치 않았다. 마침 벨기에 출신으로 EU에서 일한 경력을
가진 M. 에콜스 여사가 통상법 교수로 지도교수를 맡아
줘서 국제거래법과 통상법을 주로 읽었다. 우연이었다.
　졸업 페이퍼를 쓸 무렵 에콜스 교수는 당시 한미FTA
에서 투자자-국가 직접소송이 쟁점이 되고 있다는 기
사를 던져주며 페이퍼를 써보라고 권했다. 「NAFTA에
서 ISD(투자자-국가 직접소송)」 제목으로 페이퍼를
썼다. 약소국이 자기 국민들을 보호하고 경제체제를 지
키는 것은 주권의 문제인데, 이를 침해하는 다국적 기업
의 횡포를 보장하는 제도가 ISD라는 것이 나의 결론이
었다. 석사학위를 받았다.
　공부를 마치고 워싱턴디씨 로펌에서 인턴 생활을 시작
했다. 귀국하기 전에 미국 법 현실을 한 번 보고싶기도
했지만, 그 보다는 한동안 수입이 없어서 고생한 아내한
테 뭔가 보여주고 싶은 마음이 컸다.

　외환위기가 한국의 글로벌화에 끼친 영향은 컸다. 외환
위기가 지나자 미국과 유럽의 상사 법원이나 중재재판
소에 한국 대기업들이 자주 등장한다. 짐작하듯이 주로
피고였고, 분쟁은 대부분 국제거래법이나 지적재산권에
관한 것이었다. 미국 연방법원이 있는 워싱턴디씨의 로
펌들에게 한국 대기업들은 큰 고객이 되었다. 워싱턴디
씨 소재 로스쿨을 다니거나 졸업한 한국인들에게 인턴
기회는 많았다. 찾아간 곳은 삼성전자와 일본 히타치 사
이의 특허권 사건에서 삼성측을 대리한 로펌이었다. 삼

성전자는 수백개의 서류 박스를 미국에 보냈는데, 사무실 2개를 가득 채웠다. 원고인 히타치가 공개한 증거도 만만찮게 많았다. 한국과 일본 출신 학생 인턴 8명 가운데서 반년 동안 하루에 한두 박스씩의 서류를 분류해, 사건 관련성, 주요내용, 특이사항을 차례로 정리한 레포트를 썼다.

 삼성전자는 생각했던 것보다 훨씬 잘 준비돼 있었다. 제품 개발과정에서 분쟁을 예상했던 양 철저히 대비한 흔적이 보였다. 기술적 문외한이긴 하지만, 삼성은 히타치 주장의 쟁점 하나하나에 분명한 대응 논리와 증거를 갖고 있는듯 보였다. 생각해 보면 1997년 이후 시작된 기업의 내부통제나 전사적 자원관리 시스템이 삼성에서는 확립되어 있었고, 또 당시 유행하던 지식경영 시스템이 삼성에서는 이미 정착되었던 것 같다. 명시적 자료가 축적되어 있었고, 그래서 소송 대비는 어렵지 않았을 것이다.
 이후 오래 진행된 재판 결과를 추적해서 확인하지는 않았다. 당연히 삼성전자가 히타치를 이겼기를 바랐다. 사실 그 이전엔 삼성에 우호적인 생각을 한 번도 해보지 않았다. 당시 우리 세대가 그랬듯이 재벌을 보는 눈도 곱지 않았다. 그런데 미국에서 바라본 삼성과 히타치의 소송을 나는 한-일전으로 여기고 있었고, 한국을 응원하는 마음은 자연스러운 것이었다.

- 삼성전자 문제

 20년 전 한국 대기업들에 갑자기 분쟁이 많이 생긴 것은 아니었고, 분쟁은 이전에 더 많았으면 많았지 적지 않았을 테다. 그런데 20년 전부터 무슨 일이 있었던 것일까? 외환위기를 거치면서 우리는 외국 자본이 국내 자산을 주워담는 모습을 적나라하게 보았다. 영민한 우리 기업들은 그들의 수법을 간파한 것이다. 그 뒤에 우리 대기업들은 외국기업이 걸어오는 싸움에서 순순히 물러서지 않고 적극적으로 대응하기 시작했다. 또 한 측면은 한국의 대표 브랜드들이 글로벌 기업의 하청관계를 넘어서 대등한 플레이어가 되었다는 말도 된다. 미국 전자제품 소매점에서 항상 앞줄을 차지하던 소니와 파나소닉이 갑자기 물러나고 2005년 무렵부터 맨 앞자리를 삼성과 엘지가 차지하기 시작한 드라마틱한 장면은 놀라웠다. 메이드 인 코리아 제품이 더 비싸고 고급스러운 제품으로 취급되었다. 그 장면을 지켜본 아내와 나는 흐뭇한 마음을 숨길 수 없었다. '세상에나 우리가 삼성을 다 좋아하다니' 서로 놀라면서 웃었다. 물론 우리는 제3열에 있던 더 값싼 멕시코산 TV, 'VISIO'를 샀다.

 삼성을 비롯한 한국 거대기업들의 행태나 특혜는 분명 비판받을 점이 많다. 기업활동의 위법행위, 특히 파렴치한 반사회적 행위에 대해서는 철저히 책임을 물어야 한다. 재력과 우월적 지위를 이용해서 중소기업이나 이해관계자들에게 경제외적인 강요를 행사하는 것이나 상속이나 경영권 승계에 위법을 동원하는 것은 우리 헌법의 정신과 경제 시스템을 근본적으로 위협하는 행위이므로 용서치 말아야 한다.

반면 신사업에 위험을 무릅쓰고 과감한 투자를 하거나 해외시장을 공격적으로 개척해 나갈 때는 적극적이고 충분하게 지원하는 것도 필요하다. 대기업이 잘 되어야 경제가 잘 된다거나 트리클-다운의 논리를 단순하게 믿어서가 아니다. 시장이 글로벌 범위로 넓어지고 경쟁자들의 덩치가 과거보다 커졌다. 거대 다국적 기업과 경쟁하면서 우리의 경제 영토를 넓히려면 그에 견줄만한 유형 무형의 자원을 동원하고 대규모 투자도 이루어져야 한다. 다국적 기업과 우리 로컬 기업이 경쟁하면 이길 방법은 없다. 다시 글로벌 하청체제로 돌아가는 것은 올바른 방향이 아니다.

반대로 대기업도 증세와 사회공헌, 그리고 이해관계자 상생에 대해 전향적인 태도를 취하며 호응해야 한다. 로버트 엑셀로드의 말처럼 호혜적 대가 관계가 형성되면 다시 그 자리에서 협력은 진화한다.

-새로운 도전

2008년 봄, 4년의 미국생활을 마치고 돌아왔다. 부산으로 왔다. 신실한 친구의 권유도 있었고, 부모님의 권유도 있었지만, 고향 기업에서 고향 사람들과 함께 일한다는 것에 스스로 의지와 희망을 부여했다.

과거 부산의 대표적인 기업 중 하나인 대우정밀은 대

우그룹이 해체된 뒤 S&T그룹에 인수되어 S&T대우라는 이름을 갖고 있었다. 한국델파이와 함께 대우자동차의 양대 부품사로 성장했고, GM이 대우자동차를 인수한 이후에도 핵심 부품사의 지위를 유지하고 있다. 회사의 출발은 국방부 조병창이다. 지금도 한국군 소총을 전량 공급하는 방산사업은 자동차부품업과 함께 회사의 주요사업이다.

20대의 학생운동과 그 연장선에서 30대는 시민사회 비영리조직 경영에 참여했고, 미국 유학을 거쳐, 40대에는 전혀 다른 영역의 삶에 도전했다. 치열한 시장에서 살아남기 위해 혼신의 힘을 다하는 제조업 현장을 처음 보았다. 기업에서 10년, 세상의 절반에 대한 새로운 발견이었다.

－기업인의 철학

"이 책을 읽으며 나는 새롭게 다가오는 그의 사업가적인 면모에 감동을 넘어 은근한 압도까지 느낀다. 사업은 돈이나 요행이 아니라 가치와 원칙에 따라야 한다는 그의 신념에 관해서는 언뜻 들은 기억이 있지만, 기업이 그의 인생을 연마하는 도량(道場) 같다는 느낌은 이 글을 통해서 처음 받는다."

기업인의 책을 읽으면 어느 대문인이 남긴 글 중 일부다.

"원칙을 존중하고 정도를 걸으면서도 사업에 성공한다는 것은 결코 쉬운 일이 아니다. 별난 재주나 남달리 뛰어난 지모가 아니라 밝고 꿋꿋한 정신과 부지런함만이 인생을 가치있게 만드는 미덕이라는 점을 이 책에서 읽어주었으면 한다"고 덧붙였다.

책을 읽으며 빠져드는 한 기업인의 경영역정은 감동을 넘어선다. 매일 부딪히는 현장의 문제에서 기업인이나 경영을 지망하는 사람들은 물론이고 보통의 삶을 묵직하게 짊어진 사람들에게 깊은 철학적인 울림을 준다.

─현장경영

톰 피터스는 『초우량 기업의 조건』(In search of excellence)이라는 책에서 현장경영이라는 컨셉을 소개했다. 그리고 일본의 토요타는 자기들만의 관리방법과 생산방식을 만들어서 '도요타식 경영'이라고 이름 붙였는데, 본질은 현장경영이다. 그런데 대부분의 경영자들은 현장경영을 말한다. 다만 현장경영을 제대로 해서 성공하는 기업과 그렇지 못해 실패하는 기업이 있을 뿐이다. 현장경영의 핵심이 무엇인지 알고 실천해야 한다.

부지런한 기업인의 현장경영을 보았다. 처음부터 현장에서 직접 보고, 현장에서 일하는 사람들과 소통하며, 현장 상황에 맞게 의사결정을 했다. 그렇게 해왔을 뿐이다.

그런데 경영학자들이 이를 현장경영이라고 이름을 붙였다. 그래서 학자들이 다시 경영자에게 당신의 현장경영을 이야기해 달라고 하면 할 말이 없는 것이다. 자기의 일상을 특별한 것으로 설명하기 어려운 것과 같다. 내가 본 현장경영도 그런 것이었다.

내가 본 현장경영은 경영자와 현장에서 일하는 사람과

의 공감이다. 경영과 현장은 의외로 공감대가 넓지 않다. 데이터로 정리되기 힘든 부분도 있고, 위로 올라가는 보고는 늘 걸러지고 보태지기 마련이다. 최선의 공감 방법은 경영자가 직접 몸으로 문제에 부딪히는 것이다.

둘째로 현장경영은 문제해결, 의사결정을 빨리 하게 해준다. 현장에서 공감대를 가진 경영자는 주저하거나 미룰 필요가 없다. 마지막으로 중요한 것은 현장의 관행적인 업무를 혁신할 수 있다는 것이다. 경영자의 혁신적 관점이 현장에 전파되는 기회가 된다. 그래서 현장에 따라가는 것이 아니라 현장에 공감하면서도 현장을 이끌어 가는 것이다.

삶의 진정성은 생업을 떠나서 찾을 수 없다. 일터에서 최선을 다하는 하루하루 일상에서 자기 삶의 진정성을 깊이 파들어가야 한다. 경영의 영역이라고 다를 수 없다. 기업인은 자기 사업의 현장에 깊이 천착하고 현장에서 혁신을 이루어내야 한다.

― 소통의 리더십
히딩크 감독이 2002년 한국축구의 신화를 일구자 그의 소통 리더십이 화제가 된 적이 있다. 자기만의 플레이에 집중하거나 선후배 사이의 벽이 두꺼워서 소통이 안되는 한국 축구의 체질을 바꾸었다. 필드에서 선수들 사이에 끊임없이 소리치며 소통하라고 가르쳤다. 팀 경기에서 소통이 필요하다는 것은 당연한 것인데 그것을 실제로 해내서 승리를 만들어 낸 것이다.

기업도 마찬가지다. 소통하지 않으면 아무것도 안된다. 특히 M&A를 통해서 성장한 기업은 내부 구성원 간의 소통과 화합은 정말 어려운 과제가 되고 결국 M&A 성패의 관건이 되기도 한다. 그리고 노사관계가 힘들었던 경험이 있는 기업에서 경영자와 노조의 소통도 무엇보다 중요하다. 경영자가 솔직하게 기업의 사정을 설명하고 경영자의 선한 의도를 설명하면 노조가 협력하기 수월하다. 기업에서 노사대립은 분쟁 그 자체가 아닌 상생이 목적이기 때문이다.

현장경영은 곧 소통경영이다. 기업에서 소통이 필요한 것은 단지 목전의 일을 잘 해내기 위해서 만은 아니다.

소통하는 과정에 사람들 사이에서 관계의 진실을 찾을 수 있다. 자기 사업의 방향성 위에 모든 협력자들의 마음을 가지런히 올려 놓는다면 어떤 사업이든 성공할 것이다. 뜨거운 마음을 진솔하게 보여주고, 원칙과 가치를 진정성 있게 설득하고 함께 나누는 일은 소통의 최고형태다. 이런 진정성 있는 관계가 필요한 것이 어디 기업뿐이겠는가.

−원칙과 솔선수범의 리더십

내가 본 경영자는 뚝심과 원칙의 경영자다. 기업을 경영하면서 원칙을 지킨다는 것은 매우 중요하다. 단기적인 이익을 좇다가 큰 위기를 겪는 기업이 많다. 이해관계자 사이의 희생과 보상에 원칙이 없으면 조직은 힘을 잃고 와해된다.

기업의 원칙은 착한 기업이 되는 원칙과 강한 기업이 되는 원칙 두가지다. 살아남는 강한 기업이 착한 기업도 될수 있다는 말도 맞고, 착한 기업이 되어야 오래 지속되고 강한 기업이 될 수 있다는 말도 맞다. 사회적으로 인정받는 가치를 원칙으로 삼아서 기업경영이 그 원칙에서 벗어나지 않도록 하는 것도 필요하고, 강한 기업이 되기 위해서 끊임없이 혁신하는 기업혁신의 원칙도 세워서 지켜야 한다. 전자를 정도경영, 후자를 혁신경영이라고 할 수 있다. 이 둘을 끝까지 고수해 나가는 경영자는 그 자체로 존경받아야 한다. 결코 쉽지 않기 때문이다.

비교적 규모가 큰 기업에서 모든 구성원이 다 공익(회사의 이익)을 위해서 일하는 것은 아니다. 주인과 대리인의 문제는 인류 역사가 시작된 이후에 풀기 어려운 숙제였다. 공익을 빙자해 사익을 영유하는 일도 있다. 이런 상황에서 기업이 원칙을 지키기 위해서는 매우 단호한 태도가 필요한데, 그것은 말이나 글로 되는 것이 아니다.

내가 본 최고 경영자는 기업에 원칙을 세우는 방법으로 솔선수범을 택했다. 가장 강력한 기준은 최고 경영자의 솔선수범이다. 매 순간 긴장해서 자신의 사익을 멀리하고 모든 것을 기업의 이익을 중심으로 판단하고 행동하는 것이다. 가까운 사람에게 더 단호하고, 수시로 부탁해 오는 지인들과 사이가 나빠지는 것도 감수해야 한다. 개별적으로 어려운 상황이나 처지를 보고 원칙을 포기하고 싶은 경우도 많다. 인간적으로 고통스러운 순간도 참고 가야 한다.

흔히 기업의 최고 경영자는 기업 안에서 원칙도 넘나드는 무소불위의 결정을 할 수 있는 것으로 생각하고 그런 일을 자주 보지만, 건강한 기업의 모습은 아니다. 스스로 원칙을 벗어나는 결정과 행동을 하다 보면, 구성원들에게 원칙을 강조할 명분이 약해지고 곧 영이 안서는 상황이 올 수 있다. 그래서 원칙 중심의 경영은 바로 최고 경영자가 솔선수범으로 지켜야 하는 경영원리다.

―혁신을 완성시키는 뜨거운 리더십

제조업 현장의 하루하루는 전쟁처럼 치열하다. 단 하루도 새로워지고 개선되지 않으면 뒤처진다. 아무리 작은 제품에서도 품질은 높이고 원가는 줄여야 한다. 그러나 그 방법은 상식 속에서는 없다. 품질이 좋아지려면 더 좋은 것을 쓰든지 장비나 인력이 더 투입되어야 하는데 어떻게 원가를 줄이나. 이런 평범한 상식을 깨고 나오는 것이 혁신이다. 평범한 사람이 평범한 상식을 깨는 것은 쉽지 않다. 불가능하다. 혁신이 불편한 사람도 많다. 그래서 현장 경영자는 자기의 전인격적인 능력을 투입해야 혁신을 이룰 수 있다. 밤낮으로 고민하고 도전해야 한다. 그래서 혁신은 고통이다. 매일 고통이 목구멍까지 차오르면 씹어 삼키든지 토해내야 한다. 그리고 밤이 깊으면 통나무처럼 쓰러져 잠든다. 다시 아침이 오고 공장은 돌아가고 또 다른 하루가 시작된다.

술자리가 무르익은 어느 날 밤, 이런 힘든 사업을 왜 하는지 물은 적이 있다. 잠시 뒤에 돌아온 답은 간단했다. 망하지 않으려고. 다시 하루라도 더 늦게 망하려고 한다고 말했다.

 이런 혁신을 성공시키려면, 다시 말해 하루라도 늦게 망하기 위해서는 기업을 협력의 기운으로 가득 채워야 한다. 기업 구성원과 이해관계자, 지역사회가 함께 혁신을 응원하고 혁신의 고통과 혁신의 성과를 나누는 것이 중요하기 때문이다. 협력하지 않으면 혁신이 가능하지도 않을 뿐더러 조직에 큰 위해가 될 수 있다. 중단하거나 실패한 혁신은 조직을 그 이전보다 훨씬 크게 후퇴시킨다.

 혁신과정에 협력을 이끌어 내려면 혁신의 정당성이 튼튼해야 하고, 혁신의 과실을 보여주는 비전도 필요하다. 그리고 무엇보다 혁신에 불만을 가질 수밖에 없는 사람들을 혁신에 동참시켜야 한다. 이익을 나누자는 제안은 어렵지 않다. 그러나 고통을 나누자는 제안은 쉽게 하기 어렵다. 그리고 성사되기도 어렵다. 그래서 전인격적인 리더십, 전면적으로 소통하고 솔선해서 헌신하는 뜨거운 리더십을 보여야 한다. 결국 협력을 이끌어내는 리더십이다.

3. 도덕적 권위를 선점해야 한다
「프레임 전쟁」 죠지 레이코프, 로크리지연구소

－빛나는 생각

 미국 진보주의의 역사는 자유와 평등, 인간 존엄성, 관용, 다양성의 인정이라는 자유주의 원리에 의해, 그리고 우리의 공공 재원을 공익을 위해 사용해야 한다는 신념에 의해 촉발된 하나의 서사이다.

 감정이입과 책임이라는 진보주의의 핵심 가치로 충만한 운동이었으며 정부가 국민에게 관심을 가져야 하며 그러한 관심을 바탕으로 정책을 실행해야 한다는 이념을 지닌 운동이었다.

 효과적인 선거운동은 후보자의 가치를 전달하고 이슈를 상징적으로 즉 자신의 도덕적 가치와 신뢰도를 나타내는 것으로 사용해야 한다.

 사람들은 가치와 인간관계, 진정성, 신뢰, 정체성을 바탕으로 투표한다.

 사람들은 프레임－세계가 어떻게 작용하는가에 대해 깊숙이 자리 잡은 심적 구조－을 사용하여 사실을 이해한다.

 잘못된 이념 때문에 많은 진보주의자들은 더 많은 표를 얻기 위해 오른쪽으로 이동해야 한다고 믿었다. 사실 이것은 역효과를 낸다. 오른쪽으로 이동함으로써 진보주의자들은 실제로 우파의 가치를 활성화하고 자신들 고유의 가치를 포기하고 만다. 또한 이 과정에서 그들은 자신의 정치적 지지자들을 소외시킨다.

진보주의 지도자들은 어떤 당파에서도 벗어나 계속되는 장기적이고, 조직적인 전국 캠페인에서 단결하여 진보주의의 가치를 정직하게 대중에게 전달해야 한다.

만일 전국에서 충분히 많은 사람들이 정직하게, 효과적으로, 꾸준히 진보적 비전을 표현한다면, 언론 매체가 우리의 프레임을 채택할 가능성이 훨씬 더 높아진다.

중도주의 세계관이란 결코 없으며, 진정한 중도파는 정말로 거의 없다.

승리하기 위해 절대 다수의 중도파를 필요로 하는 진보주의자들이 이슈를 바탕으로 가운데로 옮겨 중도파를 더 많이 끌어안아야 한다고 생각한다. 진보주의자들이 승리하길 원한다면 오른쪽으로 이동해야 하고 자신들의 진보적 이념을 포기하거나 숨겨야 한다는 믿음을 가지고 있다.

그러나 오른쪽으로 이동하는 것은 진정성을 잃어버리는 것을 의미하며(신뢰의 상실), 유권자들은 진정성이 결여되었다는 것을 알아차릴 수 있다. 이것은 당신의 정치적 기반을 허무는 것을 의미한다. 보수주의 이슈와 가치에 의탁하는 것을 의미한다. 보수주의자들의 성공이 왼쪽으로 이동한 결과가 아니라는 점은 명심해야 한다. 그들은 보수주의 세계관을 활성화함으로써, 즉 자신들의 정치 기반의 언어를 말하고 자유주의자들을 냉소적으로 공격하여 자유주의 세계관을 억제함으로써 성공을 거두었다.

중도의 정치적 세계관은 결코 존재하지 않는다. 자신을 중도파로 분류하는 사람들은 중도적인 사람이 아니라, 오히려 어떤 이슈 영역에서는 보수적이며 다른 이슈 영역에서는 진보적인 이중개념주의자로 보인다.

진보주의자들은 진보적 가치들을 포기하지 않고서도 중간층의 유권자들을 효과적으로 공략할 수 있다.

진보주의자들은 자신이 신봉하지 않는 입장을 취하여 중도 유권자의 비위를 맞추려고 애써보아야 역효과만 낼 뿐이다.

진정성이 있는 실용주의자는 자신의 가치를 충실히 따르며 그 가치를 최대로 충족시키기 위해 활동한다. 진정성이 없는 실용주의자는 정치적 이익을 위해서 자신의 참된 가치로부터 기꺼이 이탈한다.

'불법 이민 프레임' 대 '불법 고용주 프레임'

표층 프레임이 활성화될 때, 표층 프레임의 의미를 구성하는 심층 프레임도 함께 활성화된다. 그래서 진보적인 심층 프레임의 활성화는 보수적인 프레임을 억제한다. 열쇠는 지속성이다.

보수주의자들은 자신의 지지자들에게 말하는 방식으로 중심에 있는 유권자들에게 말한다. 진보주의자들도 똑같이 해야 한다. 진보주의자들이 보수적인 입장을 취하여 오른쪽으로 이동할 때 그들은 보수적인 심층 프레임을 활성화하고 강화한다.(사회가 보수화되어가는 것에 대해 진보주의자들의 책임이 크다.)

 합리주의의 덫에서 벗어나기 위해서 진보주의자들은 자신들의 가장 심오한 묵시적 가치를 이해하고 그것을 명시적으로 만들어야 한다.

 자신이 무엇을 대표하는지 명확히 말해야 한다.(존엄과 번영)

 진보주의자들은 왜 무엇을 하는 사람인지 스스로 말 할 수 없는가? 만일 당신이 나에게 무엇을 대표하는지 말할 수 없다면, 아무 것도 대표하지 않는 것으로 들린다.

 정신적 외상이나 다른 재앙을 어떻게 프레임에 넣을 것인가?

 보수주의자들은 인과 과정의 본성을 왜곡하고 진보주의자들에게 그 재앙의 책임을 전가할 수 있다.

 보수주의 철학이 재앙을 초래할 때, 진보주의자들은 그 점을 분명히 밝히고, 공개적으로 발표하며, 큰 소리로 드러내도록 도처의 사람들을 조직화해야 한다.

 보수주의자들은 진보의 언어를 훔쳐 갔다.(ex 정의, 정치, 정쟁, 복지, 경제민주화 등)

 진보적 도덕성은 감정이입과 책임에 근거한다.

 이로부터 보호, 삶의 성취, 자유, 기회, 공정성, 평등, 번영, 공동체 등의 가치가 나온다. 진보적 도덕성에는 자신을 보살피기 위해 행동하는 것과 다른 사람을 돕기 위해 행동하는 사이에 아무런 모순이 없다.

 보수의 핵심가치는 권위와 통제, 절제, 소유권, 위계이다.

진보의 정치 원리 : 공익, 자유 확대, 인간 존엄, 다양성
보수주의자들은 인간 존엄성의 원칙을 거부한다.
사유화와 규제완화는 안전을 위협하고, 책임감이 더 약한 정부를 만든다. 그 결과 민주주의를 기업지배주의로 전환하는 꼴이 된다.

시장에 봉사하는 인간이 아니라, 인간의 가치에 기여하는 시장
보수주의자들은 자기이익이 근본적이라 생각한다.

진보주의는 안보를 보호로 인식한다.
보수주의는 안보를 공격으로 인식한다.

번영은 기회의 균등을 확대하고, 안보와 안전을 강화한다.
그리고 개인의 자유를 확대한다. 이로 인해 인간의 존엄성은 신장된다.

−오바마 케어 논란

촌놈이지만 미국에 잠깐 머물 기회가 있었다. 워싱턴디씨 하워드대학 로스쿨에서 석사(LLM) 학위를 받았다. 학교는 인권법에 강한 전통을 갖고 있다. 졸업생들은 워싱턴디씨 지역 정계에서 민주당의 주요 계파를 형성하고 있다. 덕분에 비교적 많은 민주당 인사들을 학교 안팎에서 만날 수 있었다. 스스로 '소셜−디자이너'라고 칭하며 과격한 미국 사회 개혁방안을 내놓는 젊은 변호사들은 미국의 속살을 드러내 보여줬다.

나는 날이 갈수록 실망을 거듭했다. 특히 미국의 의료공급 체계와 의료보험의 실제를 보고 나서는 더했다. 어지간한 중산층도 의료보험이 없거나 아주 부실한 보험 프로그램에 가입해 있어서 병원을 쉽게 가지 못했다. 물론 큰 병이 아닌 경우 잘 이겨내는 강한 체질이 많았다. 감기나 독감까지는 CVS같은 슈퍼마켓 약품코너에서 권하는 약을 먹고 견디고 있었다. 치과까지 커버되는 의료보험을 제공하는 회사에 취직한 것은 큰 자랑이었다.

2006년 무렵, 오바마 케어가 논란이었다. 사실 오바마케어의 구체적인 내용은 그 나라 기업의 급여 시스템과 다른 사회보장과의 관계 때문에 복잡하게 여겨졌지만, 대체로 그동안 의료보험이나 보건복지 시스템에서 소외되어 왔던 사람들이 쉽게 병원에 접근할 수 있도록 강제 보험가입을 늘리고 기업의 부담도 늘리는 내용이었다.

대체로 민주당 사람들은 미국의 의료복지와 보험이 후진국 수준이라면서 오바마 케어를 지지했다.

  반면 공화당의 반대 여론은 격했다. 그런데 일견 미국이라는 부자 나라에서 의료보험을 확대하자는 주장에 반대하는 명분이 있을까 싶었지만, TV토론을 보는데 깜짝놀랐다. 토론자나 플로어의 의견이나 모두 오바마 케어 반대자의 논리가 훨씬 많았고 강했다. 그들의 논리 중에 하나는 이런 것이다. "왜 우리가 이민자, 에이즈 환자, 알코올 중독자나 약물 중독자의 병원비를 함께 부담해야 하는가? 나는 매일 열심히 운동하고 체중도 관리하고 혈압도 관리한다. 정크-푸드는 입에도 안 대고 좋은 음식을 먹으려고 노력한다. 그런데 왜 내가 게으르고 자기 마음대로 자기 몸을 그르친 사는 사람들과 함께 의료보험에 가입해서 보험료를 내야 하나?" 적나라한 미국 보수주의의 논리를 처음 접하는 순간이었다.

  ─엄한 아버지의 훈육
  미국 보수주의 시각으로 보면, 민주주의는 타인이 아니라 자기자신을 돌보는 것이다. 그래서 민주주의는 자기가 원하는 것을 추구하는데 타인의 시선이나 상태를 상관하지 않을 자유를 보장하는 시스템으로 이해한다. 누구의 간섭도 없고 누구를 걱정할 필요도 없다. 개인적 책임을 다하면 되고 스스로 책임지면 된다. 사회적 책임이란 말은 불필요하다. 엄격한 아버지의 훈육이고, 오래된 가치다.

미국의 인지 언어학자 조지 레이코프는 이를 '엄격한 아버지의 도덕성'이라고 부른다. 미국의 보수주의 가정에서 가르치는 가치다. 엄격한 아버지는 가정에서 절대적인 권력이고, 가족들의 행위에 선과 악을 판별하는 가치의 기준이다. 엄한 아버지는 자식의 잘못을 벌한다. 아들은 벌을 피하려고 훈육을 따른다. 필요하면 물리적 제재를 가하고 아들은 빠르게 훈육을 습득한다.

아이들은 나중에 사회라고 하는 생존시장으로 나와 성실한 직장인이 되거나 사업을 해서 부자가 되고자 노력해야 하고 그동안 배운 배움의 결과를 잘 활용해야 한다.

만약 성실한 직장인도 부자도 되지 못하면 이는 전적으로 개인의 노력 부족이고, 그 결과인 빈곤을 마땅히 개인이 감당해야 한다.

ㅡ자상한 부모의 보살핌

반면 진보의 관점에서 민주주의는 시민들이 서로를 돌보는 시스템이다. 사회라는 공동체에서 서로 돌보는 행동이 책임있는 시민의 행동이 된다. 그래서 최대한 열심히 서로 보살필 수 있도록 노력할 때 훌륭한 윤리적 가치를 갖게 된다. 그래서 서로 마음으로부터 공감하는 일을 중요시한다. 그것이 사회의 작동원리가 되어야 하기 때문이다. 이를 '자상한 부모의 보살핌'이고 '자상한 부모의 도덕성'이라고 할 수 있다.

이때 국가는 도덕적 의무를 지게 된다. 즉 모든 시민을 똑 같이 보호하고 똑 같은 권리를 주어야 한다. 이를 위해서 공공(Public)에 대한 관념을 가져야 한다. 그래서 국가가 모두에게 기본적으로 제공해야 되는 상수도와 하수처리 시스템, 도로와 교량, 그리고 대중교통과 공립학교, 공중보건의료 시스템과 안전한 먹거리에 대해서 최선을 다해야 한다.

공공성을 지켜야할 책임에 대해서 강조한다. "만약 누군가 자기 재산을 스스로 모은 재산이니 상관하지 말라고 한다면, 나는 당신이 당신 비즈니스에 필요한 상하수도를 설치했나, 도로를 깔고 다리를 놓았나 물을 것이다. 그리고 당신 회사의 인재를 당신이 교육시켰나, 나라를 지키는 공군 파일럿을 양성했나, 학교 선생님의 학비를 다 댔나 물을 것이다. 누구도 공공 서비스의 도움 없이 돈을 벌 수 없다. 우리는 공공 서비스 없이 아무것도 할 수 없다."

―이중개념주의

한 개인으로 보면 사실 보수의 도덕, 그러니까 엄격한 아버지의 도덕성과 진보의 자상한 부모의 보살핌 도덕은 내면에 혼재되어 있다. 보수적인 사람도 우리 사회가 가난한 사람들을 보살피고 공공의 영역에 국가의 역할이 중요하다는 보살핌의 도덕을 갖고 있다. 역으로 진보적인 사람도 개인의 판단과 책임이 중요하고 자기의 문제는 스스로 해결하려는 노력을 높이 사는 도덕적 기준을 갖고 있다.

이렇게 대단히 많은 사람들은 자기 삶의 서로 다른 영

204

역에서 상이하고 모순된 도덕 체계에 따라 행동한다. 이를 '이중개념주의'(biconceptualism)라고 한다. 이중개념주의는 우리 정치를 이해하는 데 가장 중요한 요소이자 정치가 어떻게 작동하는지를 이해하는 데 결정적인 요소이다.

ㅡ보수 포퓰리즘

조지 레이코프가 전하는 미국 이야기다. 1964년 대선에서 공화당 골든워터 후보는 민주당 존슨 후보에게 대패한다. 케네디 암살 이후여서 민주당에 쏠리는 일종의 동정표도 있었지만 대부분의 일터에는 좋은 노동조합이 있었고, 사람들은 공화당을 싫어했고 민주당의 포용적 정책을 좋아했다. 이후 닉슨은 자기가 출마할 다음 1968년 대선까지 가난한 사람들이 닉슨을 찍게 할 방법을 찾는데 몰두했다.

1964년부터 1968년까지 사이에 크게 세가지 이슈가 있었고 닉슨이 이 이슈들을 영리하게 이용했다. 먼저 베트남 전쟁이 한창이었고 학생들은 전쟁에 반대하며 징집을 거부했다. 두번째로는 민권운동이 뜨거웠다. 흑백 통합정책이 추진되었고 흑인의 참정권 확대 요구가 거세게 일었다. 세번째로는 여성운동이 붐을 이루고 급진적 페미니즘이 자주 사회적 이슈가 되었다.

그때 닉슨이 발견한 것이 미국 사람들의 마음 속에 있는 엄격한 아버지의 도덕심이다. 먼저 베트남 참전 용사들과 상이군인들은 반전 데모를 하는 학생들을 공산주의자로 매도했다. 애국심이 없는 사람으로 몰았다. 다음으로 여성운동에 대한 공격은 쉬웠다. 대부분의 남성 노동자들은 전통에 따라 가정에서는 엄격한 아버지였고, 가족의 가치에 맞는 법과 질서로 가정을 지키고 싶어했다. 페미니스트를 비난하는 공화당에 마음을 주었다. 그리고 흑인 민권운동에 대해서, 닉슨은 흑인들에게 일자리를 빼앗길까 두려워하는 노동자들의 마음을 이용했다.

닉슨은 학생들에게는 공산주의자 라벨을 붙이고, 인권운동가를 폭도라 하고, 여성운동이 가정을 파괴한다고 했다. 흑인과 백인이 함께 공공 서비스를 이용하는 통합정책에 명백한 반대를 표시했다. 닉슨의 생각은 통했다. 가난한 노동자지만 엄격한 아버지의 도덕성을 지닌 백인들의 사고를 하나로 묶는데 성공했다. 가난한 노동자들은 애국심과 가족의 가치와 자신들의 일자리를 지키고 싶어했다. 사회적 이슈를 도덕적 가치를 묻는 이슈로 통합시켜서 프레임으로 민주당을 압도한다.

—진보 엘리트, 강남 좌파

닉슨은 여기에 더해서 '진보 엘리트'(Liberal Elite)라는 말을 만들어 퍼뜨렸다. 우리 말로 하자면 '강남 좌파'가 된다. 진보를 공격하는 말이었다. 당시에는 고등학교 졸업자도 드문 것이 대부분의 중하층 노동자들의 현실이었다. 그들을 새로운 프레임으로 공략했다. '좋은 대학 나오고 잘 사는 엘리트들은 가난한 사람을 위하는 듯이 말하고 행동하지만 사실은 당신들을 얕보고 이용하고 있는 것이다. 그들은 당신들을 멍청이로 본다.' 닉슨은 결국 가난한 노동자들에게 이런 프레임을 심어주는데 성공했다.

1968년 미국 대선에서 닉슨은 대통령이 되었다. 민주당 존슨 후보는 동북부 일부 주, 이른바 진보 엘리트가 많이 사는 주와 자기 고향인 텍사스를 제외하고 모두 패배했다. 공업벨트와 농촌지역이 많은 32개주를 닉슨은 완전히 석권했다. 많은 가난한 사람들이 보수적인 공화당을 선택한 것이다. 가난한 사람이 보수 정당을 지지하는 문제가 이때부터 이슈가 되었다. 닉슨이 사용한 대중 선동 전략은 보수 포퓰리즘으로 불렸고 이후 미국 선거에서 자주 논란이 되었다. 물론 한국에서도 그동안 선거에서 이런 일이 자주 반복되었기 때문에 전혀 놀랄 일은 아니다.

—코끼리를 생각하지 마!

이제는 유명해진 이야기다. M—햄버거에서 벌레가 나왔다는 소문이 돌았다. 소문일 뿐, 실제로 햄버거에서 벌레가 나오지 않았는데도 고객이 끊겼다. 그러자 M—햄버거 회사는 "우리 M—햄버거에는 벌레가 나오지 않았다"고 홍보했다. 그렇지만 고객은 돌아오지 않았다. 고객들은 벌레가 없다는 것을 생각하기 위해서는 먼저 벌레를 떠올려야 하고 그러면 식욕이 달아나기 때문이다.

소문을 부정하기 위해서 소문을 언급하는 것은 소문에서 벗어나기 어려운 것이 우리의 무의식적인 사고방식이다.

우리는 뇌로 생각한다. 선택의 여지가 없다. 생각은 뇌에서 신경 회로를 통해 전달된다. 우리는 우리가 이해하도록 뇌가 허락하는 것만을 이해할 수 있다. 이 신경 구조의 가장 깊숙한 부분은 비교적 고정되어 있다. 이 부분은 즉각 바뀌거나 쉽게 바뀌지 않는다. 실제로 우리 뇌가 하는 일의 98퍼센트는 의식 수준 밑에서 이루어진다. 그래서 우리는 뇌 안의 무엇이 가장 깊은 도덕적, 사회적, 정치적 신념을 결정하는지에 대해 충분히 알지 못한다. 그럼에도 우리는 상당 부분 무의식적인 이 신념을 근거로 행동한다.

인지과학은 의식적 사고방식뿐만 아니라 무의식적 사고방식을 연구하는 방법을 찾아냈다. 인지과학자는 무의식을 의식으로 끌어올리는 것과 무엇이 인간의 사회적, 정치적 행위를 결정하는지 알아내는 일을 한다.

—프레임, 다르게 말해야 한다

대체로 정치를 이해하는 데 가장 중요한 뇌 구조는 바로 '프레임'이다. 프레임이란 우리가 세상을 바라보는 방식을 형성하는 틀이다. 프레임은 우리가 추구하는 목적과 우리가 짜는 계획, 우리가 행동하는 방식, 우리가 행동한 결과의 좋고 나쁨을 결정한다. 프레임을 바꾸는 것은 모든 것을 바꾸는 일이다. 그러므로 프레임을 재구성하는 것은 곧 사회 변화를 의미한다.

공적 담론의 프레임을 재구성하는 데 성공하면, 대중이

세상을 보는 방식을 바꾸게 된다. 상식으로 통용되는 것을 바꾸게 된다. 언어가 프레임을 활성화하기 때문에, 새로운 프레임은 새로운 언어를 필요로 한다. 다르게 생각하려면 우선 다르게 말해야 한다.

─아내를 선택한 노무현

돌아가신 노무현 전대통령은 뛰어난 정치적 감각을 가진 정치인이었다. 그것은 아마도 타고난 성정과 판단력이 만든 것이라고 본다. 그는 국회 5공비리 청문회의 스타 정치인이면서 노동자를 대변하는 정치인으로 국민들에게 강렬한 인상을 남겼다. 거기다 '지역감정에 도전하는 바보'로 자신의 캐릭터를 강력하게 구축했다. 한국 정치의 가장 후진적이고 예민하고 또 부끄러운 부분에 자신을 세웠다. 이로써 그는 개혁을 열망하는 국민들 가운데 엄청나게 충성심 높고 열성적인 팬층을 형성했다. 명실상부한 개혁의 상징이 되었다.

2002년 대선 새천년민주당 후보 경선과정에서 조선일보와 동아일보가 노무현 후보 장인의 남로당 활동 이력을 보도해 논란이 일었다. 이른바 '빨갱이' 프레임에 걸릴 상황이었다. 그런데 그는 연설에서 "이런 아내를 버려야 합니까?"라고 되묻는 한마디로 빨갱이 프레임을 벗어날 수 있었다. 권력이냐 가족이냐 선택을 강요하는 상황에서 아내를 지키고 가족을 지키는 남자로 보이는 언어를 구사했다. 정치 문제에서 비정치적 가족 문제로 완전히 프레임을 바꿔버린 것이다. 만약 그때 '사실 장인의 이력을 나는 그때 몰랐다'거나 '장인과 나는 생각이 다르다'거나 장인의 남로당 경력을 자꾸 떠올리게 하는 소극적 반박을 했다면, 그리고 정치적, 이념적 반박을 이어갔다면, 결과는 장담할 수 없었을 것이다.

1992년 대선 일주일 전에 터진 초원복국집 사건도 극적인 프레임 반전의 예다. 고 김영삼 전대통령은 동물적 정치감각으로 유명하다. 자신을 당선시키기 위해서 부산의 기관장들이 부산의 한 복국집에 모여서 관권개입을 모의했다는 증거가 잡히자 궁지에 몰렸다. 이때 그는 과감한 반전으로 프레임 전환을 이뤄낸다. "내가 제일 피해자다." 그는 기자들에게 사건의 경위가 중요한 것이 아니고, 그 사건의 제일 피해자는 자기 자신이라고 말하면서 관권선거 프레임에서 피해자 프레임으로 전환시켜낸 것이다.

─빨갱이 프레임

한국의 민주화세력은 항상 빨갱이라는 꼬리표를 붙이고 살아야 했다. 사실은 고 김대중 전 대통령이 집권에 성공하기까지 야당에도 심지어는 호남인들에게도 빨갱이 딱지를 붙였다. 문민정부와 국민의 정부를 지나면서 빨갱이 프레임은 걷혔다. 참여정부와 현재 문재인 정부에 이르러서는 지금 누구도 집권 더불어민주당에 대해서 빨갱이 프레임을 씌우지 못한다.

물론 지금도 이른바 태극기 부대를 비롯해 일부에서 빨갱이 소리를 공공연하게 하고 다니지만 이미 사회적으로 고립된 목소리일 뿐이다. 그런데 최근 자유한국당에서 2020년 총선을 앞두고 모토를 '사회주의를 저지하자'는 쪽으로 잡고 있다는 언론 보도가 있었다. 이런 시도의 실행 여부를 떠나서 논의 자체가 시대착오적이라고 할 수밖에 없다. 만약 실제로 빨갱이 프레임을 다시 불러온다면 스스로 더욱 고립되는 처지를 자초하는 것이다.

미국에서도 전통적으로 안보와 애국심은 보수의 언어로 통했다. 레이코프는 오바마 전 미국 대통령의 사례를 자주 말한다. 2008년 처음 대통령 후보로 출마했을 때, 기자들로부터 '애국심의 정의'가 무엇인지 질문을 받았다. 그는 '애국심은 서로를 보살피는 마음에서 시작된다'면서 자상한 부모의 보살핌이라는 진보의 언어로 설명했다. 오바마는 연두교서에서 자주 군대 이야기를 했다. '군대는 군인이 민주당이건 공화당이건 상관없이 모두 서로를 보살피는 곳이다. 우리는 장병들을 항상 보호해야 하고, 공동의 목표 앞에서 언제나 한 팀이다. 누구도 낙오한채 남겨두지 않고 끝까지 함께 할 것이다.'

요컨대 함께 일하고 서로 보살피는 것이 바로 애국심이라고 말한 것이다. 진보의 언어로 군대를 말하고 애국심을 말한 것이다. 군대 이야기로 진보적 도덕 시스템이 작동하도록 만들어낸 것으로 평가한다.

─한국 정치의 프레임

한국의 정치 지형이 과연 '진보와 보수의 대립인가' 묻는다면, 아니라고 말하고 싶다. 한국의 정치 사회적 토

양은 진보와 보수를 정확히 개념화할 만큼 실체를 갖고 있지 못하다. 다시 말해 진보와 보수의 이념과 이론은 세울 수 있으나, 그 이념을 체화한 정치 세력이 제대로 형성되어 있지 않다는 말이다.

진보와 보수의 대립이 실체를 갖고 안정화되려면 합리적인 경쟁의 틀 안에서, 그리고 헌법과 여론이 정하는 궤도 위에서 정치과정이 진행되고 보수와 진보가 각각 이념을 기반한 정책으로 경쟁해 정권교체를 거듭해야 한다. 한국 정치가 그런 경험을 축적했다고 보기 어렵다.

특히 한국에서 그동안 보수를 표방하는 정당들은 매우 특이한 정치 논리와 행태를 보여왔고, 학자들은 이들을 보수주의는 아니라고 본다.

한국의 보수 정당은 5.16 군사쿠데타 이후 30년간 군인 대통령이 집권하면서 만든 정당에 뿌리를 두고 있고, 그렇게 형성된 정체성을 아직 버리지 못하고 있다. 북한과 대치하는 휴전선의 심리와 군대를 운영하는 병영의 논리를 사회에 강요한 군부정권, 그리고 그때부터 형성된 한국 보수의 논리는 단순하다. 약간의 변주는 있지만 핵심은 여전히 변하지 않았다. 한마디로 반북한-반공 이데올로기다. '집회와 시위는 사회질서를 어지럽히는 불온한 것'이고, 결국 '북한을 이롭게 하는 것'이다.

'북한은 전쟁을 해서라도 반드시 점령해서 통일'시켜야 하고 '모든 평화는 위장'이다. 미국과 일본과의 관계는 '북한의 위협을 막아야하기 때문에 우리가 참고 양보'하면서 가야한다. '북한으로부터 나라를 지켜야 민주주의도 있는 것'이고, '성장을 위해서 노동자는 참고 성실히 일해야' 하고, '복지는 나라를 병들게 한다.' 반공과 반북이 과연 정상적인 정치 이데올로기가 될 수 있는 것인지는 차치하더라도, 반공과 반북 이외의 모든 생각들이 무시되고 배제되는 사고 속에서 민주 정치는 제대로 기능하기 어렵다.

이른바 보수라고 하는 자유한국당이 2017년 탄핵에 대하여 보이는 태도는 민주주의에 대한 왜곡된 인식을 극명하게 보여준다. 헌법이 정하는 절차에 따라 국회의 소추와 헌법재판소의 결정으로 탄핵이 이루어졌음에도 불구하고 아직 탄핵을 수용하지 못하는 정서가 상당히 남아있다. 어이없는 일이다. 보수 통합을 가로막는 장애물이 되고 있다니 웃지 못할 일이다. 헌법이라는 민주주의의 공식적인 정치 절차와 여론이라는 비공식적 알고리즘을 모두 무시하는 억지다.

5.18광주민주화운동을 부정하는 언행도 그렇다. 역사적인 국민의 심판이 있었고, 공적인 사건조사와 법적판단과 처벌도 있었고, 민주화운동보상법까지 완성된 5.18광주민주화운동을 근본에서 부정하는 발언이 공당안에서 현실적인 힘을 갖는 모습도 정상이 아니다. 헌법적 가치, 법과 전통, 선대의 판단을 중시하는 서구 보수주의 마인드에서는 용납될 수 없는 일들이다.

－보수와 진보, 양 날개

 그래서 한국의 민주주의 역사는 늘 보수를 표방하는 정당들을 제어하고 때로 타도하는 투쟁의 역사였다. 오래 야당을 해온 민주당(더불어민주당 등)의 역사는 군정종식 투쟁이었고, 다음은 민주개혁이었다. 처음 정권교체를 성공한 1998년부터 10년, 다시 9년을 건너뛰고 나서 이제 2년반이다. 군사쿠데타 이후 58년 동안 근래 12년 6개월이 민주당 집권기다.

 그 짧은 시간동안, 오래 묵혀 둔 과제를 한꺼번에 해결하는 것은 벅찬 일임이 분명하다. 그렇지만 기본적인 민주주의 제도를 다시 복원하는 일, 군부정권시절 과거사를 규명하고 바로잡는 일과 동시에, 새로운 시대에 맞는 민주주의 제도, 다양한 부문과 계층, 그리고 소수자들의 작은 민주주의를 위한 제도를 하나하나 만들어 오는데 성공했다. 경제 분야에서도 과거의 성장 패러다임으로 대응하기 어려운 시대의 흐름에 따라 경제정책을 전환하고, 산업구조를 개편해서 성장의 동력을 확보하는 일이나, 급격히 늘어난 복지수요에 대응하는 일에서도 비교적 좋은 성과를 내고 있다. 특히 한반도 평화체제로의 전환이라는 거대한 구상이 3개 정부를 이어 오면서 성공적으로 진행되고 있다.

 보수 정치와 진보 정치가 양 날개로 자리 답기 위해서 보수는 분명 재정립되어야 한다. 원내 제2당이고 제1야당인 정당이 보수를 대표한다고 하면서도 헌법과 민주

214

주의 원리를 무시하고 합리적인 보수의 궤도를 계속 벗어난다면, 상대방이 있는 정치의 장에서 보수와 진보의 정책 과제들이 국회와 국민적 토론의 장에 올라가지 못한다. 국민적 공론의 장에서 합리적인 토론이 불가능한 것이다. 그러면 다시 정책은 실종되고 이념적인 대결과 프레임 씌우기만 남는 것이다.

보수 정치와 진보 정치가 서로 내놓는 비판과 반비판이 합리적인 공론의 장에서 토론되지 못하면 우리 공동체는 전진하지 못하는 것도 사실이다. 한반도 평화체제의 전망 아래 한미동맹과 한일관계의 재정립 방향을 토론하고, 검찰개혁과 정치개혁의 방안도 토론해야 한다. 공공부문 개혁에 대해서도 토론하고, 노동시장의 유연안정성을 토론해야 한다. 무상교육과 입시의 공정성 문제나, 경제의 재정건진성이나 대중소기업 상생정책과 같이 우리 공동체가 실질적으로 합의하고 넘어가야할 문제는 많다. 이것은 절박한 과제이다. 한국사회의 전진을 위해서 절박한 이슈들을 강력한 프레임 안에 통합시키고, 국민을 설득하는 것이 이 시대 정치의 사명이다.

4. 상호부조와 자치가 인간 본성이다
「만물은 서로 돕는다」 크로포트킨

－빛나는 생각
 격렬한 경쟁의 시기에는 종의 진화가 이루어질 수 없다는 것
이다. 인간 사회의 근간이 되는 것은 사랑도 심지어 동정심도
아니다. 그것은 인간의 연대 의식이다. 이는 상호부조를 실
천하면서 각 개인이 빌린 힘을 무의식적으로 인정하는 것이
며 각자의 행복이 모두의 행복과 밀접하게 의존하고 있다는
점을 무의식적으로 받아들이는 것이기도 하다.

 동물의 상호부조
가장 적응을 잘한 종들은 육체적으로 가장 강하거나 제일 교
활한 종들이 아니라 공동체의 이익을 위해 강하든 약하든 동
등하게 서로 도움을 주며 합칠 줄 아는 종들이었다. "가장
협력을 잘하는 구성원들이 가장 많은 공동체가 가장 번성하
고 가장 많은 수의 자손을 부양한다."(다윈)
 진화의 한 요인인 상호부조는 어떤 개체가 최소한의 에너지
를 소비하면서 최대한 행복하고 즐겁게 살 수 있게 해준다.
 더 많은 개체들이 함께 모이면 서로 더 많이 도울 수 있고, 지
능적으로 더욱더 발달할 수 있을 뿐만 아니라 그 종들이 살아

216

남을 기회를 더 많이 가지게 된다.

 나는 분명 생존경쟁을 부정하지는 않는다. 그러나 동물계 특히 인간이 점진적으로 발전하는 데는 상호경쟁보다는 상호지원의 혜택을 훨씬 더 많이 받았다고 주장한다. 모든 유기체는 두 가지 욕구 즉 영양 섭취의 욕구와 종족 번식의 욕구를 지닌다. 영양 섭취의 욕구는 유기체로 하여금 서로 투쟁하고 말살하게 만들지만, 반면에 종족 유지의 욕구는 유기체로 하여금 서로 접근하고 지원하도록 한다. 나는 유기적 세계가 진화하는 데 개체들 사이에 상호지원이야말로 상호투쟁보다 훨씬 더 중요한 역할을 한다고 생각하고 싶다.(케슬러)

 제일 교활하고 가장 영악한 개체가 제거되어야 사회적 삶과 상호지원의 유익함을 알고 있는 개체들에게 이익이 된다. 최적자는 가장 사회성이 강한 동물들이다. 사회성은 직접적으로는 에너지 낭비를 최소화하면서 종의 안락한 삶을 보장해주고 간접적으로는 지능의 성장을 도움으로써 분명히 진화의 가장 중요 요인이 된다.

 상호부조와 상호지지를 통해서 경쟁이 제거되면 더 좋은 조건들이 창출된다.

 경쟁하지 말라! 경쟁은 항상 그 종에 치명적이다. 경쟁을 피할 수 있는 방법은 매우 많다! 결합해서 상호부조를 실천하라! 이것이야말로 각자 그리고 모두가 최대한의 안전을 확보하고 육체적으로, 지적으로 그리고 도덕적으로 살아가고 진보하는 데 제일 든든하게 받쳐주는 가장 확실한 수단이다. 이것이 자연이 우리에게 가르쳐주는 바이다.

야만인, 미개인의 상호부조

촌락 공동체가 덜 파괴된 곳에서는 어디든지 재산의 불평등이 적게 나타나고, 보복법 규정도 잔혹하지 않게 나타나는데, 반면에 촌락 공동체가 전적으로 와해된 곳에서는 거주민들이 전제적인 통치자들에 의해 가장 참을 수 없는 압제를 받는다.

인류는 놀라울 정도로 유사한 진화의 과정을 동일하게 겪었다.

국가가 나타나게 되었을 때는 이미 촌락 공동체에서 모두의 이익을 위해 실행되었던 모든 사법적, 경제적, 행정적 기능은 소수의 이익만을 위해 점유되었다.

중세 도시의 상호부조

사람들은 성벽 배후에서 보호해줄 뭔가를 찾았거나 찾기를 바랐던 곳이면 어디든지 하나의 공통된 사상으로 결합된 동맹회, 협동조합, 친목회를 조직하였고, 상호지지와 자유를 추구하는 새로운 삶을 향해 담대하게 나아갔다. 그리고 그들의 이러한 노력은 3,4백 년 동안 잘 진행되어서 유럽의 모습을 완전히 바꾸어 놓을 정도로 성공을 거두었다. 이들은 온 나라를 자유민들의 자유로운 연합 성향을 드러내는 호화스러운 건물들로 채워 놓았다. 그 아름다움과 풍부한 표현력은 그때까지 무엇에도 비할 바가 아니었다.

상호부조의 지원은 촌락 공동체에서 힘을 발휘하였고, 중세에는 새로운 형태의 연합에 의해서 활력을 얻어 강화되었다. 새로운 형태의 연합은 이전과 같은 정신에 의해 고무되어 길

드라고 하는 새로운 모델로 형성되었다.

 이 제도는 개인에게서 독창성을 빼앗지 않으면서도 집단의 욕구를 충족시키는 데 상당히 잘 들어맞았기 때문에 확산되고 발전해서 강화될 수 있었다.

 중세 도시란 촌락 공동체보다 훨씬 커다란 규모로 상호원조와 지원, 소비와 생산을 위한 연합이었다. 사람들에게 국가라는 속박을 부과하지 않으면서도 예술, 공예, 과학, 상업 그리고 정치 조직에서 각기 독립된 집단의 창조적이고 천재적인 개인들이 완전한 자유를 표출하면서 함께 사회생활을 하기 위한 밀접한 연합을 조직하려는 시도였다.

 개별적인 길드 내에서 공동의 일로 결합된 사람들 사이에서뿐만 아니라 작은 지역 단위의 연합 그리고 도시나 도시 집단의 연합은 당시의 삶과 사상의 본질을 이루고 있었다. 10세기에서 16세기까지의 시대는 연합과 단결의 원리가 모든 인간 생활에서 표출되고 최대한도로 지속되어 오면서 대규모로 상호부조와 상호지원을 확보하려는 광범위한 시도가 있었다고 설명할 수 있다. 이러한 시도는 엄청난 성공을 거두었다. 이러한 시도를 통해 이전에 분열되었던 사람들이 결합하게 되었고, 상당한 자유를 확보하게 되었으며 사람들의 힘을 몇 배로 강화시켰다.

 전 유럽은 기념물들로 가득하다. 무엇보다 사회성이 강한 예술인 건축이 최고도로 발달했다는 사실 그 자체만으로도 의미가 있다.

중세 건축이 장엄한 이유는 바로 장엄한 사상에서 나왔기 때문이다. 중세 건축은 도시가 키워낸 우애와 통합의 사상에서 나왔다. 중세 건축은 대담한 투쟁과 승리를 통해서만 획득할 수 있는 호방함을 가지고 있었고, 도시의 모든 삶에 스며들어 있었던 활력이 표출된 것이었다.

대역사에 직접 소요된 자금은 작업 규모에 어울리지 않게 소액이었다.

중세 도시가 존속했던 4세기 동안 유럽 문명에 엄청난 공헌을 했다. 중세 도시는 유럽이 무의식적으로 과거의 신정정치나 전제적인 상태로 빠져드는 것을 막아주었고 유럽에 다양성과 독립, 진취적 기상 그리고 현재 유럽이 보유하고 있는 막대한 지적, 물적 에너지를 부여해주었다.

근대인의 상호부조

국가가 사회 기능을 모두 병합함으로써 필연적으로 방종하고 편협한 개인주의가 발전하게 되었다. 국가에 대한 의무가 늘어나면서 시민들은 서로에 대한 의무를 확실히 덜게 되었다.

1841년 다시 노동조합이 살아나기 시작했고, 100년 이상 지속된 오랜 싸움 끝에 마침내 노동자들은 단결권을 쟁취했다.

너무도 많은 경우에 부유함은 그것을 소유한 사람의 인간성을 억누르는 것 같다.

중앙집권국가의 파괴적인 권력도, 고상한 철학자나 사회학자들이 과학의 속성으로 치장해서 만들어낸 상호증오와 무자

비한 투쟁이라는 학설도 인간의 지성과 감성에 깊이 박혀 있는 연대의식을 제거할 수는 없다. 모든 인간의 연대감이란 앞선 진화 과정 속에서 자라난 것이기 때문이다.

 가족이나 빈민가에 사는 이웃들 그리고 촌락이나 노동자 비밀 결사 형태로 숨어들었던 상호지지와 지원에 대한 욕구는 근대 사회에서도 다시금 거듭 주장되었고, 늘 그래왔던 것처럼 미래의 진보에 주도적인 위치를 차지하면서 그 권리를 주장하고 있다.

 결 론
 상호부조를 기반으로 하는 제도들이 전성기를 누리는 시기야말로 예술, 산업 그리고 과학의 전성기였다. 상호부조가 우리들의 윤리 개념에 실질적인 기반이라는 점은 너무나 명확한 듯하다.

 인간은 개인적이거나 아니면 기껏해야 종족에 대한 사랑에 의해서가 아니라 인간 존재 한 사람 한 사람과 자신이 하나라는 인식을 통해서 자신의 행위를 이끌어가야 한다고 호소해왔다. 진화의 맨 처음 단계까지 거슬러 올라가는 상호부조의 실천 속에서 윤리 개념의 긍정적이고 신뢰할 만한 기원을 찾게 된다.

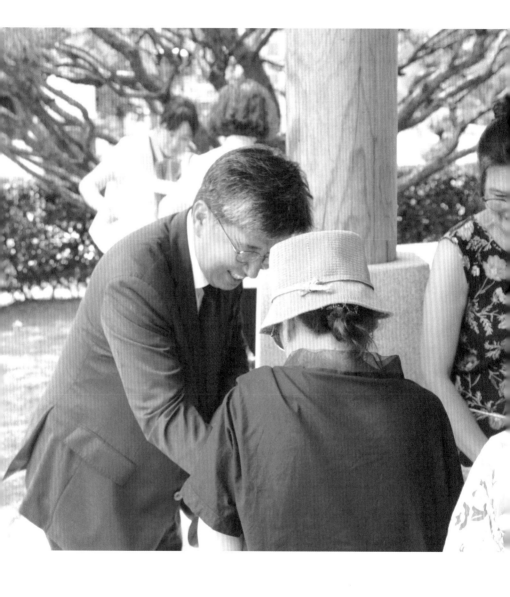

－추억, 80년 봄에서 가을까지

아버지는 내가 어릴 때부터 지금까지 한 번도 '무슨 직업을 가져라', '무엇을 준비해라', '무슨 공부를 해라.' 이런 말씀을 한 적이 없다. 지나가는 말로라도 사회적 성공에 관한 언급을 들은 적이 없다. 가끔, 그것도 결혼하기 전까지만, 들은 꾸지람은 '일찍 일어나라', '운동해라', '밤에 너무 늦게 다니지 마라', 정도였다. 대체로 일상의 생활규칙을 지키고 몸가짐을 바르게 하라는 말씀만 기억이 난다. 반면 어머니는 좀 더 현실적이었다. 대학을 가보지 못한 어머니에게 자식들의 대학 전공 선택은 사실 선택의 여지가 별로 없는 일이었다. 이과를 가면 의대나 약대를 가야하고, 문과를 가면 법대나 상대를 가야했다. 그 외에는 돈만 까먹고 실업자 되기 좋은 것이지 당신 자식들이 가야할 대학이 아니었다. 어릴 때 우리들이 느끼는 어머니의 압박은 절대적인 것이었지 싶다. 온화한 성격에 잘 웃으시고 말씀도 조용조용 하시는 분이었는데 왠지 우리는 그렇게 느꼈다. 가끔 형제자매들끼리 옛 이야기를 하면 다 비슷한 기억을 갖고 있다.

공부든 운동이든 곧 잘했지만, 경쟁에 심취하는 스타일은 아니었다. 국민학교 다닐 때는 야구와 테니스를 좋아했다. 학교 야구부에서 뛰었고, 테니스도 열심히 배웠다. 그런데 경쟁과 승부에 몰두하지 못하면 운동도 크게 진전이 없는 법이라서 운동으로 중학교에 진학하는 트랙에 들어가진 않았다. 물론 어머니는 자식이 공부를 잘해서 출세하는 것 외에는 다른 길에 대한 고려가 없었기 때문에 운동부로 진학하는 길을 포기한 것도 맞다.

경쟁과 승부에 몰두하지 못했다. 국민학교 4학년 때인가 당시엔 생활통지표라는 것을 집에 보냈는데, '친구들과 잘 어울린다. 자주 공상을 즐긴다'고 선생님이 써 놓은 표현이 있었다. 공상을 즐긴다는 말이 우스웠다. 부모님도 다 웃었다. 어머니가 집에서 이웃 아주머니들과 모여 노시면서 생활통지표에 선생님 글을 가리키면서 '친구들과 노는 것 말고는 잘하고 싶은 게 없는 아이'라고 한 말씀이 기억 난다. 나도 그렇게 생각했다.

중학교에 진학할 때 배치고사라는 시험을 쳤다. 어찌어찌 해서 전교 2등을 했고, 1학년 2반 반장을 맡게 되었다. 그때는 선생님이 성적순으로 지명했던 것 같다. 그런데 반장 활동이 재밌었다. 친구들과 노는 게 즐거운 체질에 맞기도 했지만 내가 무엇을 해야 하는지 영감을 주고 격려해준 당시 교장선생님 덕분이다. 이각 교장선생님. 일본에서 공부하고 영어가 전공이라고 했다. 1학년을 채 마치기도 전 가을에 학교를 떠나셨다.

교장 선생님은 매주 월요일 조회를 하고 훈화 하셨는데, 어린 나이지만 매번 감동받았다. 이후 6년간 중고등학교를 다니면서 많은 훈화 말씀을 들었지만 감동을 준 교장선생님은 유일하다. '꿈을 크게 가져라, 친구들을 소중히 대해라, 너무 이기려고 하지말고 서로 도와라, 가난한 사람을 돕는 마음을 가져라', 이런 평범한 교훈일수도 있는데 멋있는 음성과 유려한 언어, 그리고 때로 비장함과 때로는 유머를 섞어 학생들을 몰입시키는 연설이었다.
또 자주 전학년 반장들을 모아 놓고 훈화도 하셨다. 금테 안경, 큰 키, 호리호리한 몸매의 노신사는 항상 양복 저고리를 입지 않고 어깨에 걸치고 들어와 앉았다. 미소를 머금고, 가끔 영시, 영어 잠언이나 속담을 칠판에 적어가며 인용했고 꽤 오래 말씀하셨다. '학생회를 활성화 시켜야 한다', '학년 회장, 전체 학생회장도 선거로 뽑아야 한다', 그리고 '이제 우리나라도 민주주의를 해야 한다', '민주주의도 어릴 때부터 훈련이 필요하다.'

나는 그가 좋았다. 점심시간에 운동장 주변을 산책하셨는데, 가끔은 아이들과 공을 차고 노는 나를 불러서 운동장 벤치에 앉아 말씀도 하시고 이런 저런 걸 묻기도 했다. 당시에 전교 순위를 다투는 아이들은 점심시간에도 보통은 공부를 했다. 정확히 기억은 나지 않지만 공부에만 매달리지 않고 친구들과 잘 어울려 노는 나를 지지하고 있다는 걸 알고 기뻤다. 학교에서 정상적인 대화를 나눈 첫번째 선생님이었다. 경쟁과 승부에 몰두하기 싫은 내 마음에, 그래도 괜찮은 것이라는 정당성을 심어준 교장선생님으로 추억한다. 이후 오랫동안 내 마음 속에 자라난 인생관의 시작이었다.

─두 지식인의 초상
그 때가 1979년 10월 박정희가 죽고 아직 전두환이 등장하기 전, 그러니까 한국의 민주주의가 이른바 '서울의 봄' 시절을 보낼 때다. 우리는 뉴스에서 광주에 대한 보도를 이따금씩 봤지만, 누구도 이야기하지 않았고 아무런 정보도 없어 사건의 맥락도 파악하기 어려웠다.

여름방학을 마치고 학교에 오니까 사회과목 시간인데 선생님이 학교를 그만둬서 자습을 하라고 했다. 젊은 선생님이 왜 갑자기 학교를 그만두었을까 싶었는데, 얼마 안 있어 그 선생님이 학교에 나타났다. 기사가 운전하는 까만 세단을 타고 뒷자리에 앉아 학교 운동장을 가로질러 들어와서는 교장실로 들어갔다. 아이들 말로는 교장실에서 독대를 하는데 교장선생님 앞에서 다리를 꼬고 앉아 담배를 피웠다고 했다. 돌아보니 신군부에 가담한 젊은 지식인의 허세였다.

그로부터 몇 주 뒤, 교장선생님은 운동장에서 전교생에게 마지막 인사를 하고 학교를 떠났다. 나는 지금도 교장선생님이 왜 갑자기 떠난 것인지 기억이 안 난다. 정년퇴임인지, 전근인지, 아니면 그냥 그만 두신 것인지. 다만 까만 세단을 타고 나타나 교장실에서 담배를 피운 그 젊은 사회 선생의 모습이 오버랩 되면서 우리들의 1980년을 소환하는 그림 중 하나로 교장선생님을 추억한다. 1980년 봄부터 가을까지 그 짧은 시간에 일어난 일이다.

−추억, 90년~92년

1987년 민주주의 혁명은 우리 세대의 유전형질을 바꾼

역사적 사건이었다. 그렇게 시작된 새로운 역사를 계속 밀고 나가야 한다고 생각했고, 1990년 부산대학교 총학생회장으로 당시 전대협 학생운동의 지도부가 되었다. YS의 3당합당을 거부하면서 긴 고난의 길을 시작한 고 노무현 대통령(당시 노변)을 만났고, 다시 그해 말에는 구속돼 유치장에서 문재인 대통령(당시 문변)을 만났다. 두 분이 당시 부산의 민주화 운동에 쏟은 헌신을 말하자면 지면이 좁고, 다시 말 할 필요도 없다. 분명한 것은 이 만남은 인생의 사건이었다는 사실이다.

그 뒤 1992년 말까지 주례구치소에서, 다시 목포교도소에서 새로운 만남을 겪었다. 새로운 만남을 '겪었다'고 표현할 수밖에 없다. 놀라운 만남이었고, 감당하기 어려운 충격이었기 때문이다. 감옥이라는 시설은 누구나 첫 만남은 충격이다. 지금은 많이 개선되었겠지만, 당시만 하더라도 인간의 의식주가 불가능한 비인간의 공간이었다. 그런데 더 큰 충격은 감옥에서 만난 사람들이다.

20여년 동안 만나고 친하기도 하고 때로는 싸우기도 한 사람들과 전혀 다른 종류의 사람들이 있었다. 그것도 아주 많았다. 정치사범 중 중범으로 보이는 이들은 독방에서 지내야 하고, 독방 옆에는 대체로 소년수들의 방이 붙어있다. 주로 절도나 강도, 강간미수로 들어온 소년수들은 대여섯살 어렸으니 중고등학생 또래인데 10명중 8명은 초등학교 이후 학교를 가보지 못한 아이들이었다. 고 아이거나 부모나 친척 누구와도 연락이 안되는 아이들이 태반이었다. 벌써 전과가 여럿인 아이들도 있었다. 영치금 천원도 넣어 줄 사람이 없었다. 관급품을 아껴썼다. 겨울에도 내복은 없었다. 빵 한조각, 우유 한모금도 누군가 주지 않으면 먹지 못하는 처지였다. 사실 가족이 있고 웬만하면 소년범이 감옥까지 들어오진 않았을 테다.

나는 들어온 영치금으로 옆 방 아이들과 함께 나누고 먹으면서 생활했다. 교도관이 눈감아 주면 그들 방에 가서 같이 밥을 먹고 이야기도 했다. 행님이라 부르는 아이들과 무척 가까워졌다. 인생에 아무런 희망도 계획도 없고, 지극히 동물적인 반응만으로 살아온 시간이 고스란히 보였던 그 아이들을 만난 것이다. 겨우 열다섯이나 열여섯 살인데 말이다. 자기가 지은 죄에 대해서 일말의 도덕적인 반성이 없었다. 사회에 아무런 관계망이 없었기 때문에, 자기를 아는 누구에게 미안해하거나 책임감을 느낄 수도 없었다. 세상의 밑바닥을 본 느낌이었다. 나로선 그나마 세상의 모습을 알게 돼 다행이었다.

목포에서는 그런 소년범들이 그대로 20년, 30년 나이 들면 어떻게 되는지 보여주는 사람들을 만났다. 그 중 한 명은 교도관들에게 반항하다 맞아 죽었다는 걸 한참 뒤에 알았다. 무연고. 아무도 관심 갖지 않은 사람들의 죽음은 그렇게 아무도 모를 수 있다. 충격은 쓰나미처럼 나를 뒤흔들었다. 이십대 초반의 나는 '내가 세상을 이렇게 몰랐구나, 활자로 된 개념의 바다에서 그냥 허우적거리린 아이에 불과했구나' 자괴감이 컸다. 교도 행정에 대해 더 예민해지고, 이유 모를 분노도 커지고, 거칠게 싸움도 많이 했다. 밤새 문을 차고, 소리지르고, 단식은 그야말로 밥 먹듯이 했다. 온몸을 번데기처럼 꽁꽁 묶이기도 하고, 강제로 머리를 깎이기도 했다. 음식을 소화시키기 어려웠고, 숨이 차서 움직이기 어려웠지만 자학적으로 보일 만큼 그냥 견뎠다.

 그렇게 2년이 지나고 만기출소. 폐, 장, 관절 곳곳의 몸이 망가져 있었다. 두 번의 수술과 요양, 온갖 병원, 한의원, 산사를 다니며 시간을 보냈다. 물론 그 사이 학교도 졸업하고, 사회 복귀도 준비해 봤지만 열심을 내기에는 몸이 힘들었다. 거의 7~8년이 또 그렇게 지나갔고, 나는 30대 중반으로 가고 있었다. 세월이 참 빨리 간다고 느낀 것이 그때가 처음인 것 같다. 2년동안 옥에서 만난 사람들의 사연과 그 상상할 수 없는 가난이 주는 상처를 치유하는 사회를 만들자는 다짐도 서서히 옅어지는 시간이었다.

－상호부조와 자치
『만물은 서로 돕는다』 저자 표트르 크로포트킨은 100년전 살다 간 러시아 사람이다. 재정 러시아 최고의 귀족 집안에서 태어나 근위학교를 수석으로 졸업했다. 집안의 전통대로 차르의 근위대장이 될 사람이었지만, 출세가 아니라 고통받는 러시아 민중들의 편에 섰다. 평생

아나키스트로 살았다. 아나키즘을 무정부주의로 번역한 것은 일본사람들인데, 단순히 정부를 부정한다는 의미로 읽힌다는 점에서 좀 부족하다. 아나키즘은 기본적으로 인간은 선량하고 자율적이며 서로 돕고 공동의 선을 추구한다는 인간에 대한 믿음에서 출발한다. 자율적으로 공동체를 유지할 수 있는 선한 사람들의 연대와 협력으로 충분하다는 것이다. 그런 의미에서 폭력과 강권의 상징인 정부의 필요를 부정하는 것이다. 한마디로 상호부조와 자치체제가 정부의 대안이다. 한때 유럽 사회주의의 흐름은 마르크스의 공산주의와 바쿠닌의 아나키즘으로 대별될 정도로 아나키즘은 주류적 세력이었다.

우리 근대사 인물들과 인연이 깊다. 독립운동가 신채호, 이회영, 김산, 박열 등이 아나키스트였고, 문학계의 정지용, 김유정, 이상도 아나키스트였다고 한다.

"나는 공산주의가 싫다. 그것은 자유를 부정하기 때문이다. 나는 자유없이 인간적인 것을 생각할 수 없다. 공산주의는 모든 사회세력을 국가에 흡수시키려 하고 있다. 그렇게 되면 재산을 불가피하게 국가에 집중시키게 된다. 국가는 도덕과 문명이라는 구실아래 인간을 노예화하고 억압하고 착취하며 약탈한다. 나는 국가의 폐지를 바란다. 국가가 아니라 사회조직 집산조직과 같은 자유로운 연합을 기초로 사회재산을 형성해야 한다. 어떠한 종류이건 위로부터의 권위에 반대한다." 아나키즘을 대표하는 이론가 바쿠닌의 말이다. (인용, 『한 혁명가의 초상』, 표트르 크로포트킨)

─일관된 삶

물론 아나키즘은 우리들의 삶을 전진시키는 시스템으로는 지나치게 원리주의적이고 낭만적이다. 그래서 현실의 변화를 만들어내는 원리로서 동의하지 않는다. 오늘 내가 크로포트킨을 주목하는 것은 그의 인간과 삶에 대한 선량함 때문이다. 그리고 선량한 삶에서 나오는 그의 사상은 그 자체로 아름답기 때문이다. 스스로 돌이켜보면, 가난한 사람과 비참한 현실에 대한 청년기의 감수성은 나이가 들면서 옅어지고 무뎌진다. 복잡한 세상사와 그 속에서 다양한 군상들을 겪으면서 인간에 대한 신뢰도 자주 흔들린다. 그래서 다시 크로포트킨을 본다. 주로 스위스와 유럽 여러나라에서 망명생활을 한 크로포트킨을 버나드 쇼우가 만났다. 버나드 쇼우는 그를 성자(聖者) 같다고 묘사했다.

크로포트킨의 삶에서 일관성을 본다. 젊어서 제정 러시아의 귀족으로 출세가 보장된 자리를 박차고 나와 아나키스트로 삶을 시작했고, 러시아 혁명 이후 러시아로 돌아갔지만 혁명으로 세워진 소비에트 정부에 가담하지 않았다. 레닌으로부터 교육부 장관 자리를 제안받았지만 단번에 거절했다고 한다. 그는 모든 정부는 폭력과 강권의 최고 권위체일 수밖에 없는데, 아나키스트로서 평생을 살아온 사람으로서 정부의 각료가 될 수는 없다고 했다.

러시아로 돌아와서 내내 경제적으로 궁핍한 삶을 살았

다. 외국으로 이주하라는 조언도 물리치고 민중의 삶이 곧 자기의 삶이 되어야 한다고 했다. 그의 사상은 언제나 러시아 민중의 삶에 뿌리를 두고 있다. 언행일치하는 삶과 헌신하는 삶을 살았다. 그러면서 누구에게도 자기를 위하여 희생하는 것을 허락하지 않았다.

알다시피, 크로포트킨 사후 소련은 아나키스트를 반혁명세력으로 규정하고 대대적인 숙청을 벌인다. 그가 예견한 대로 소비에트 역시 폭력과 강권이라는 정부의 본질에서 벗어나지 못한 것이다.

─좋은 정부와 상호부조

"지금은 세상을 바꾸려면 위대한 지도자 한 사람이 나타나는 게 아니라 국민들 마음 속에 새로운 시대를 향한 올바른 생각이 자리잡게 하는게 제일 중요하다"(고 노무현 대통령, 2004년)

세상을 바꾼다는 표현은 오랜 전부터 힘겨운 세월을 보내는 민중들의 것이다. 세상을 바꾸면 어떤 세상이 되는지 해명하는 것이 새로운 정치세력의 숙제였다. 새로운 정치세력은 항상 새로운 대안을 제시한다. 왕조시대 역성혁명의 명분도 언제나 새로운 세상이었다. 그리고 새로운 세상을 만들 기회를 얻으면 권력의 힘으로 새로운 제도를 만들고 권력의 집행자들도 바꾸었다. 긴 역사 속에서 우리는 언제나 전진해 왔다. 그러나 당대를 사는 민중들의 힘겨운 삶은 변하지 않았다.

20세기 한때 혁명이 세상을 바꿀 것이라고 생각했다.

그러나 혁명은 유행처럼 지나갔고 역시 당대 민중들의 삶은 별로 변하지 않았다. 강력한 권력과 위대한 지도자의 의지만으로 세상은 변하지 않았다. 청산과 숙청, 선각자들이 설계한 새로운 제도와 강력한 규제로 새로운 세상을 만들지 못했다. 인간사의 경험이다.

물론 좋은 세상을 만들기 위해서는 좋은 정부를 가져야 한다. 국민주권과 민주주의를 떠나서 더 좋은 세상을 만들 수 없다는 것도 근대이후 역사의 경험이다. 그러나 그보다 중요한 것은 우리들의 마음이 바뀌고 생각이 바뀌는 것이다. 공동체 정신을 회복하고 서로 돕고 서로 협력하는 것이 인간 본성이라는 통찰이 필요하다. 오래전 교장선생님 말씀처럼, 상호부조와 상호지지를 통해서 경쟁이 제어되면 우리는 더 좋은 조건을 만들어 낼 수 있다. 상호부조를 기반으로 하는 제도들이 전성기를 누리는 시기야말로 예술과 산업과 과학의 전성기였다. 상부상조는 인간의 윤리적 관념의 실질적 기반이다. 크로포트킨의 말이다.

다시 우리들의 추억 속에 서로 도우면서 행복했던 사건들을 소환하자. 가난하고 비참한 현실에 처한 이웃을 바라보며 눈물 흘리고 분노한 기억을 불러오자. 그들을 돕지 않고 우리 공동체가 온전하다고 말하지 말자. 좋은 정부를 세우는 것만으로 부족하다. 상부상조의 공동체가 우리를 인간답게 하는 최소한의 조건이다. 우리 마음이 먼저 그렇게 바뀌어야 한다.

함께 잘 사는 것은 인간의 변함없는 욕구다.

경제성장의 목표는 경제성장이 아니다.

경제성장의 목표는 함께 잘 사는 것이다.

공동체의 일부가 빈곤 때문에 학교를 못 가거나 병원에 못 간다면

우리는 무엇으로 잘 산다고 말할 수 있을까.

양극화를 극복하려는 노력들이 다양하다.

빈곤은 인간 존엄을 가장 치명적으로 손상시킨다.

산업정책을 통한 번영과 그 번영의 혜택을 모두 누리는 사회경제시스템,

정치가 해야 할 일이다.

4장

정치는
함께
잘 사는 것이다

1. 경제발전의 요체는 역량의 증대다

「자유로서의 발전」아마티아 센

－빛나는 생각

 발전의 최우선 목적은 인간의 자유다.

 발전이란 우리가 영위하는 삶과 우리가 향유하는 자유를 증대시키는 것과 관련이 있어야 한다. 자유의 확장은 우리의 삶을 더욱 풍요롭게 하며 장애를 줄일 뿐만 아니라, 우리 자신의 의지를 실현하는 한편 우리가 살아가는 세계와 상호작용하며 영향을 끼침으로써 우리가 더 완전한 사회적 인간이 되도록 한다.

 빈곤은 단순히 낮은 소득이 아니라 기본적 역량의 박탈로 봐야 한다.

 자유의 확장은 발전의 주된 목표일뿐만 아니라 핵심적 수단이다.

 두 번의 전쟁 시기에 기대수명이 빠르게 증가했다는 사실은 매우 놀랍다. 전쟁 시기에 사회적 나눔의 범위가 변화했고, 복지에 대한 공적 지원이 급격히 증가한 탓이다.

 소득의 관점에서 상대적 박탈은 역량의 관점에서 절대적 박탈을 가져올 수 있다. 절대 소득이 세계적 기준에서 높은 편이라고 해도 부유한 나라에서 상대적 빈곤은 역량에서 매우 큰 장애가 될 수 있다.

 미국 흑인 남성이 백인 남성에 비해 1.8배 높은 사망률을 보이는 반면 흑인 여성의 사망률은 백인 여성에 비해 3배나 높다.

 일자리를 얻을 수 있는 능력에 초점을 맞추면 유럽의 상황은 꽤 암울하며 생존 능력으로 관심사를 돌리면 미국은 불평등은 꽤 심각하다.

 빈곤은 기본적 역량의 박탈이다.

 불평등의 문제는 관심사를 소득 불평등에서 실질적 자유와 역량의 불평등으로 옮길 때 더 확대된다. 시장에서 개인 간 소득 불평등은 낮은 소득과 그 소득을 역량으로 전환시키는 것에 대한 장애의 결합 때문에 증폭될 수 있다.

 민주적 정부 형태와 상대적으로 자유로운 언론을 가진 독립 국가 그 어떤 것에서도 실제로 기근이 일어난 적이 없다.

 당신이 곤궁에 처한 사람을 도왔는데 그 이유가 그 사람의 곤궁이 당신을 불행하게 느끼게 만들기 때문이라면 그것은 공감에 기초한 행위다. 하지만 당신이 그 사람의 곤궁 때문에 특별히 불행하게 느끼지 않으면서도 공정하지 못하다고 생각하는 시스템을 변화시키겠다고 결심한다면 그것은 헌신에 기초한 행위다. 헌신적 행동은 자기희생을 포함하는데 왜냐하면 당신이 도우려고 노력하는 이유는 부정에 대한 당신의 감각 때문이지 당신 자신의 동정심으로 인한 괴로움을 달래려는 욕망이 아니기 때문이다.

 발전은 실로 자유의 가능성을 실현하기 위한 의미심장한 노력이다.

사람들의 역량을 증대시키는 것이 곧 자유의 확장이고 이것이 바로 경제발전의 요체다.

영국에서 20세기에 기대수명이 증가한 것을 연대별로 분석한 결과 경제성장률과 아무런 관계가 없고, 두 차례에 걸친 세계대전 기간에 기대수명이 비약적으로 증가하였다.

사회정책이 강력한 나라들이나 사회정책이 확대된 시기의 성과를 뚜렷이 부각함으로써 공공정책의 중요성을 지적하고자 하였다. 가난한 나라도 경제성장으로 소득이 높아지기만을 기다릴 것이 아니라 공공정책에 의해 삶의 질을 급격히 향상시킬 수 있다는 것이다.

아무리 가난한 나라라 하더라도 민주주의 국가인 경우에 기근이 일어난 적이 없다는 사실에 주목하고, 이는 기근이 그만큼 방지하기 쉬운 것이며 민주주의 하에서는 기근을 방지할 강력한 정치적 인센티브가 존재하기 때문이라고 분석하였다.

−경제성장의 목표는 경제 성장이 아니다.

작가는 인도의 경제학자이자 철학자이다. 1933년 인도에서 태어났다. 1998년 아시아인으로서 최초로 노벨 경제학상을 받았다. 어린 시절 방글라데시 다카에서 살며 극단적인 빈곤과 기근을 목격했다. 빈곤은 인간을 무력한 존재로 만들어 다른 종류의 자유마저 침해할 수밖에 없게 한다는 것을 깨달았다.

'빈곤은 단순히 낮은 소득이 아니라 기본적 역량의 박탈로 봐야 한다. 불평등의 문제는 관심사를 소득 불평등에서 실질적 자유와 역량의 불평등으로 옮길 때 더 확대된다.'

목표와 수단은 종종 자리를 바꾼다. 경제성장의 목표는 경제성장이 아니다. 경제성장의 목표는 사람이 좀 더 잘 사는 것이다.

헌신은 시스템을 변화시키겠다고 결심이라고 한다.

'당신이 그 사람의 곤궁 때문에 특별히 불행하게 느끼지 않으면서도 공정하지 못하다고 생각하는 시스템을 변화시키겠다고 결심한다면 그것은 헌신에 기초한 행위다.'

경제발전이 역량을 증대시키면, 그 증대된 역량은 경제를 발전시킨다.

'사람들의 역량을 증대시키는 것이 곧 자유의 확장이고 이것이 바로 경제발전의 요체다.'

2. 도시의 시대다

「뜨는 도시 지는 국가」 벤자민 R. 바버

─빛나는 생각

 도시가 세상을 구할 수 있을까?

 우리가 살아나려면 국민국가가 아니라 도시가 변화의 동인이 되어야 한다.

 전 지구적이면서 민주적인 기관이 그 어느 때보다 상호의존적 세상에 사는 우리가 직면한 전 지구적 도전에 대응할 수 있는 체제가 필요하다. 도시야말로 전 지구적 거버넌스를 할 수 있으며, 도시가 그 일을 해야 한다. 정치보다는 실용주의, 이념보다는 혁신 그리고 주권 대신 해결책이 가능한 시대가 올 것이다. 근래의 국민국가는 의미 있는 참여를 이끌어내기에는 너무 크고, 중앙집권화 된 전 지구적 힘을 견제하기에는 너무 작다.

 대통령이 거들먹거리며 원칙에 대해 말할 때 시장들은 쓰레기를 줍고 총기 규제 캠페인을 벌인다.

 협력 그리고 다 함께 의사결정을 내리는 새로운 방식을 통해 도시들은 무기, 무역, 기후변화, 문화교류, 범죄, 마약, 교통, 공중보건, 이민 그리고 기술문제를 함께 해결하고 있다.

 상호의존성이 현실이고, 공민권이 예배의식이며, 협동이 교리이고, 민주주의가 관행인 전 지구적 시민종교와 유사한 것을 만들어가고 있다.

국가에서 도시로, 독립에서 상호의존으로, 이념에서 문제해결로.

도시는 많은 변화를 일구어나갈 수 있는 곳이다.

도시는 평등주의를 자랑할 수도 있을 것이다. 하지만 진정한 평등은 공원이라는 형태로 도시에서 시골의 풍부함과 너그러움을 만끽할 수 있게 되면서 이루어졌다.

도시에 공원과 공유지를 만들어 자연적 요소를 보존함으로써 살 만하고 민주적인 곳으로 만드는 데 힘을 쏟았다.

아름다운 시민 공간에 누구나 접근할 수 있게 하는 것이 존중의 문화를 구축하는 첫 번째 단계다.

다양성은 오늘날 도시 지속가능성의 열쇠다. 도시는 이념과 정당 강령보다는 문제해결을 선호한다.

불평등과 부패, 대표성은 도시의 잠재력에 대한 방해 요소다.

멀리 수도에 있는 기능 불능의 중앙정부는 참아도 가까운 곳에서 제 기능을 못하는 시정부는 참아주지 않을 수도 있다.

우리는 도시에서 태어나고 성장하고 교육받고 결혼하고 자녀를 낳고 일하고 늙어가며 죽는다.

성공적인 도시란 개방되고, 국제적이며, 진정으로 관용과 문화 간 대화를 진작시키는 도시다. 이런 작업을 통해 도시는 창의성을 고무하고 수출을 늘릴 기회를 도모할 수 있으며 고객의 문화를 이해하는 더 나은 기회를 잡을 수 있다.

도시는 국가를 기다리지 않아도 된다. 시민사회는 도시를 기다리지 않아도 된다. 시민은 시민사회를 기다리지 않아도 된다.

도시의 본질은 정체성보다는 기능에, 문화적 기원의 실체보다는 혁신과 창의성의 과정에 있다. 도시는 공동의 목표와 이익을 중심으로 연합한다.

도시의 신성한 찬가는 사랑, 향수 그리고 어떤 장소에 대한 노래이지 전쟁, 영웅주의, 독립에 바쳐진 찬양가가 아니다.

오랫동안 일할 수 있는 전망과 보수가 좋은 직업, 건강보험과 연금을 받을 수 있는 직업이 지속적인 경제와 올바른 도시 풍경을 만든다.

선진국이나 개발도상국 모두 공적 분야 일자리의 역할이 도시에 아주 커다란 의미로 다가온다. 일자리의 15%에서 25%가 공적 분야에서 만들어진다.

도시가 진정 세계주의적 수도로써의 특징을 보유하길 원한다면 교육에 넓고 깊게 헌신해야 한다. 평등을 보증하기 위해서는 교육기관들이 반드시 공공으로 그리고 무료로 운영되어야 한다. 비용도 사적인 보상 체계나 입장료 수익보다는 조세 수입에서 지불해야 한다.

도시는 과거 그 어느 때보다도 문화가 중심일 것이다.

자유와 만남의 공간, 창조와 교류의 공간.... 인간 척도에 맞춘 진정한 공공장소에 에너지 효율적이고 지속가능한 교통시스템이 갖춰진 곳, 이곳에서는 바로 사람들이 오늘날 도시의 가치를 규정하는 핵심이다.(하비에르 나에토)

창의력과 상상력, 협업과 소통, 상호의존성은 우리가 도시적인 것과 문화적인 것 모두, 민주주의와 예술 모두를 이야기할 때 의도하는 핵심 요소이다.

상호의존적인 창의의 공유지.

도시성의 세 가지 구체적인 맥락은 공공, 민주, 상호의존이다.
도시는 예술이 번영하는 곳에서 번창한다. 예술이 도시에 필요한 공공 공간의 형성을 돕기 때문이다.

−이념에서 문제해결로

작가는 1939년 뉴욕에서 태어났다. 사회학자이자 정치 이론가이다. 도시에 관한 한 기념비적인 저작이다. 2017년 사망했다. 문제 해결로써의 도시, 국가의 시대에서 도시의 시대로의 전환, 성공적인 도시의 조건, 도시의 여러 문제, 도시 재생 등 여러 면에서 시사점이 큰 책이다.

'국가에서 도시로, 독립에서 상호의존으로, 이념에서 문제해결로.
도시 이야기는 결국 민주주의 이야기다.
다양성은 오늘날 도시 지속가능성의 열쇠다.
도시는 이념과 정당 강령보다는 문제해결을 선호한다.
일자리의 15%에서 25%가 공적 분야에서 만들어진다.

도시가 진정 세계주의적 수도로써의 특징을 보유하길 원한다면 교육에 넓고 깊게 헌신해야 한다. 평등을 보증하기 위해서는 교육기관들이 반드시 공공으로 그리고 무료로 운영되어야 한다.

도시성을 유지하면서 그 안에 시골을 조성하는 것이 매우 중요하다.

도시성의 세 가지 구체적인 맥락은 공공, 민주, 상호의존이다.'

3. 잘 쉬는 동래!

「피로사회」 한병철

우울증, 주의력결핍과잉행동장애, 경계성성격장애, 소진증 후군 등이 21세기 초의 병리학적 상황을 지배하고 있다. 이들 은 전염성 질병이 아니라 경색성 질병이며 면역학적 타자의 부정성이 아니라 긍정성의 과잉으로 인한 질병이다.

지난 세기는 면역학의 시대였다. 즉 안과 밖, 친구와 적, 나 와 남 사이에 뚜렷한 경계선이 그어진 시대였던 것이다. 면역 학적 행동의 본질은 공격과 방어이다. 낯선 것은 무조건 막아 야 한다. 아무런 적대적 의도를 가지고 있지 않은 타자도, 아 무런 위험을 초래하지 않는 타자도 이질적이라는 이유로 제 거의 대상이 되는 것이다.

2세기 신경성 질환들 역시 그 나름의 변증법을 따르고 있 지만, 그것은 부정성의 변증법이 아니라 긍정성의 변증법이 다. 그러한 질환은 긍정성의 과잉에서 비롯된 병리학적 상태 이다.

폭력은 부정성에서뿐만 아니라 긍정성에서도 나올 수 있다. 이질적인 것, 낯선 것뿐만 아니라 같은 것도 폭력의 원천이 될 수 있다. 긍정성 과잉에 대한 반발은 면역 저항이 아니라

소화 신경적 해소 내지 거부 반응으로 나타난다. 과다에 따른 소진, 피로, 질식 역시 면역 반응이 아니다.

긍정성의 폭력은 적대성을 전제하지 않는다. 그것은 오히려 관용적이고 평화로운 사회에서 확산되며 그 때문에 바이러스성 폭력보다도 눈에 덜 띈다. 긍정성의 폭력은 박탈하기보다 포화시키며, 배제하는 것이 아니고 고갈시키는 것이다. 신경성 폭력은 시스템적인 폭력, 시스템에 내제하는 폭력이다. 소진증후군은 자아가 동질적인 것의 과다에 따른 과열로 타버리는 것이다.

규율사회는 이미 오래 전에 사라졌다. 21세기 사회는 성과사회다. 그들은 자기 자신을 경영하는 기업가이다. 규율사회는 부정성의 사회이다. 해서는 안된다가 지배적인 조동사가 된다. 무한정한 할 수 있음이 성과사회의 지배적 조동사이다. 금지, 명령, 법률의 자리를 프로젝트, 이니셔티브, 모티베이션이 대신한다. 규율사회의 부정성은 광인과 범죄자를 낳는다. 반면 성과사회는 우울증 환자와 낙오자를 만들어낸다. ~해야 한다 에도 어떤 부정성, 강제의 부정성이 깃들어 있다. 사회적 무의식은 당위에서 능력으로 방향을 전환한다. 생산성 향상이란 측면에서 당위와 능력 사이에는 단절이 아니라 연속적인 관계가 성립한다. 성과를 향한 압박이 탈진 우울증을 초래한다. 우울증은 규율사회의 명령과 금지가 자기 책임과 자기 주도로 대체될 때 확산되기 시작한다.

긍정성의 과잉 상태에 아무 대책 없이 무력하게 내던져져 있는 새로운 인간형은 그 어떤 주권도 가지지 못한다. 우울한 인간은 노동하는 동물로서 자기 자신을 착취한다. 우울증은 성과주체가 더 이상 할 수 있을 수 없을 때 발발한다. 아무 것도 가능하지 않다는 우울한 개인의 한탄은 아무 것도 불가능하지 않다고 믿는 사회에서만 가능한 것이다. 성과주체는 자기 자신과 전쟁 상태에 있다. 우울증은 긍정성의 과잉에 시달리는 사회의 질병으로서 자기 자신과 전쟁을 벌이고 있는 인간을 반영한다. 자기 착취는 자유롭다는 느낌을 동반하기 때문에 타자의 착취보다 더 효율적이다.

좋은 삶이란 성공적인 공동의 삶까지를 포괄하는 개념이거니와, 그런 의미에서 좋은 삶에 대한 관심은 날이 갈수록 생존 자체에 대한 관심에 밀려나고 있다.

심심한 것에 대해 거의 참을성 없는 까닭에 창조적 과정에 대한 중요한 의미를 지닌다고 할 수 있는 저 깊은 심심함도 허용하지 못한다. 잠이 육체적 이완이라면 깊은 심심함은 정신적 이완의 정점이다. 심심함이란 속에 가장 열정적이고 화려한 안감을 댄 따뜻한 잿빛 수건이다.

우리 문명은 평온의 결핍으로 인해 새로운 야만 상태로 치닫고 있다. 활동하는 자, 부산한 자가 이렇게 높이 평가받은 시대는 일찍이 없었다.

후기 근대의 자아는 완전히 개별적으로 고립되어 있다. 과잉활동, 노동과 생산의 히스테리는 바로 극단적으로 허무해진 삶, 벌거벗은 생명에 대한 반응이다. 후기 근대는 스스로 노동하는 노예가 되는 노동사회를 낳는다. 이 노동수용소의 특징은 한 사람이 동시에 포로이자 감독관이며 희생자이자 가

해자라는 점에 있다.

사색적인 삶은 보는 법에 대한 특별한 교육을 전제한다. 니체는 우상과 황혼에서 인간은 보는 것을 배워야 하고, 생각하는 것을 배워야 하고, 말하고 쓰는 것을 배워야 한다고 말한다. 보는 법을 배운다는 것은 눈을 평온과 인내, 자기에게 다가오게 하는 것에 익숙해지도록 한다는 것을 의미한다. 오래 천천히 바라볼 수 있는 능력을 의미한다. 머뭇거림은 행동이 노동의 수준으로 내려가는 것을 막는 데 필요불가결한 요소이다. 분노는 어떤 상황을 중단시키고 새로운 상황이 시작되도록 만들 수 있는 능력이다.

성과사회의 피로는 사람들을 개별화하고 고립시키는 고독한 피로다. 긍정성의 과잉, 즉 부인이 아니라 아니라고 말할 수 없는 무능함, 해서는 안 됨이 아니라 전부 할 수 있음에서 비롯된다. 과도한 선택의 자유를 누리는 후기근대의 성과주체는 강력한 유대의 능력을 잃어버린다. 우울증에는 아무런 중력이 없다.

동의의 긍정성도 폭력의 원천이 된다. 모든 것을 흡수하는 것처럼 보이는 자본의 전일적 지배는 현재로서는 합의적 폭력이라 할 수 있다. 자아는 일단 도달 불가능한 이상자아의 덫에 걸려들면 이상자아로 인해 완전히 녹초가 되고 만다. 이때 현실의 자아와 이상자아의 간극은 자학으로 이어진다. 성과주체는 완전히 타버릴 때까지 자기를 착취한다. 여기서 자학성이 생겨나며 그것은 드물지 않게 자살로 치닫는다. 프로젝트는 성과주체가 자기 자신에게 날리는 탄환임이 드러난다. 후기 근대 사회의 폭력은 희생자가 스스로 자유롭다고 착각하기 때문에 더 치명적일 수 있다. 자유와 폭력이 하나가 된다.

 강한 영혼은 평정을 유지하고 천천히 움직이며 지나친 활발함에 대해 거부감을 품는다.
 자본주의 경제는 생존을 절대화한다. 자본주의 경제의 관심은 좋은 삶이 아니다. 좋은 삶에 대한 관심은 생존의 히스테리에 밀려난다. 사회가 원자화되고 사회성이 마모되어감에 따라 무슨 수를 써서라도 보존해야 할 것은 오직 자아의 몸밖에 없다.
 그들은 죽을 수 있기에는 너무 생생하고, 살 수 있기에는 너무 죽어 있다.

－좋은 삶이란?

작가는 1959년 서울에서 출생했다. 독일에서 철학, 독일 문학, 카톨릭 신학을 공부했다. 피로사회는 2010년 독일에서 출판되었고 번역은 2012년에 되었다.

예외 없이 피곤하다. 작가는 긍정성 과잉에 따른 소진과 피로를 고갈이지 폭력이며, 성과사회는 우울증 환자와 낙오자를 만든다고 말한다. 또'우울한 인간은 노동하는 동물로서 자기 자신을 착취한다. 자기 착취는 자유롭다는 느낌을 동반하기 때문에 타자의 착취보다 더 효율적이다. 좋은 삶에 대한 관심은 날이 갈수록 생존 자체에 대한 관심에 밀려나고 있다. 과도한 선택의 자유를 누리는 후기근대의 성과주체는 강력한 유대의 능력을 잃어버린다.'고 주장한다.

긍정성 과잉과 우울 그리고 자기착취와 유대의 상실.
신자유주의가 전면화된 사회상을 정확하게 표현한 책이다.

4. 더 크고 더 적극적인 정부가 필요하다

「그들이 말하지 않는 23가지」 장하준

−빛나는 생각

 자유 시장이라는 것은 없다.

 자유 시장 체제가 자본주의를 운영하는 유일한 방법이 아니며, 지난 30년 동안의 성적표가 말해 주듯 최선의 방법은 더더욱 아니다. 지난 30년 사이 금융 부문이 실물 경제와 점점 더 유리되고, 급기야는 오늘날의 경제적 재앙을 불러오게 된 것은 결코 불가피한 일이 아니었다.

 기업은 소유주 이익을 위해 경영되면 안 된다.

 1980년에 이르러 마침내 성배가 발견되었다. 바로 주주 가치 극대화 원칙이었다. 이것은 주주들에게 얼마나 큰 이익을 안겨 주느냐에 따라 전문 경영인들의 보수를 정해야 한다는 것을 내용으로 하고 있다. 그러나 주주의 이익을 위해 기업을 경영하면 경제 전체에 도움이 되지 않는다.

 잘사는 나라에서는 하는 일에 비해 임금을 많이 받는다.

 부자 나라의 일부 개인이 가난한 나라의 동일 직종 종사자에 비해 생산성이 수백 배나 높을 수 있는 것은 그들이 더 나은 기술, 더 나은 조직, 더 나은 제도와 물리적 인프라를 가진 경제 환경에서 살기에 그런 성과를 낼 수 있는 것이다.

254

인터넷보다 세탁기가 세상을 더 많이 바꿨다.

전기, 수도, 가스와 더불어 가전제품의 등장으로 가사 노동 분담이 줄어들면서 여성들의 삶이 완전히 변모했고, 그로 인해 남성들의 삶도 크게 달라졌다.

거시 경제의 안정은 세계 경제의 안정으로 이어지지 않았다.

시카고 대학이나 IMF에 적을 둔 자유 시장 경제학자들이 행한 연구에서도 인플레이션이 8~10% 이하일 경우 국가 경제 성장과 아무 상관관계가 없다는 결론을 내렸다. 상당히 높은 인플레이션과 급격한 경제 성장이 공존할 수 있다는 것을 알 수 있다.

자유 시장 정책으로 부자가 된 나라는 거의 없다.

개발도상국들의 경제 실적은 국가 주도의 발전을 꾀하던 시절이 그 뒤를 이어 시장 지향적인 개혁을 추진할 때보다 훨씬 나았다. 신자유주의 처방을 충실하게 따른 지역, 즉 라틴 아메리카와 사하라 이남 아프리카 지역은 '어두운 과거' 시절보다 훨씬 열등한 성장률을 보였다.

자본에도 국적은 있다.

초국적 기업이 가진 혜택의 대부분은 본국으로 돌아간다. 기업의 태도와 행동을 결정하는 요인이 국적 하나만 있는 것은 아니지만 자본의 국적을 무시하는 것을 위험한 일이다.

우리는 탈산업화 시대에 살고 있는 것이 아니다.

서비스 산업은 생산성이 증가하는 데 한계가 있기 때문에 경제 성장의 원동력이 되기 힘들다. 서비스 산업에 기초한 경제는 수출 능력이 떨어진다. 생산성 향상 속도가 빠르다는 첨단 지식 기반 서비스 산업들은 강력한 제조업 없이 발전할 수 없다.

정부도 유망주를 고를 수 있다.

정부가 유망주를 제대로 골라낸 나라는 한국만이 아니다. 일본, 타이완, 싱가폴, 프랑스, 핀란드, 노르웨이, 오스티리아 정부 등도 보호 무역이나 보조금 지급, 국영 기업에 의한 투자를 통해 산업 발전을 성공적으로 입안하고 지휘했다.

부자를 더 부자로 만든다고 우리 모두 부자가 되는 것은 아니다.

가난한 사람들을 위한 소득 재분배가 경제 성장까지 촉진한다고 믿을 만한 근거가 많다는 점이다. 불황기에 경기를 활성화시키는 최선의 방법은 '가난한 사람들을 위한 소득 재분배'이다. 소득 불평등의 수준이 낮으면서 빠른 경제 성장이 이루어졌던 '자본주의의 황금기'

가난한 나라 사람들이 부자 나라 사람들보다 기업가 정신이 더 투철하다.

부자 나라가 부자가 될 수 있었던 것은 개인의 기업가적 에너지를 집단적 기업가 정신으로 전환할 수 있는 능력 덕분이다. 한 나라가 번영하기 위해서는 국민 개개인의 노력이나 재능보다 공동체 차원에서 효율적인 조직과 제도를 마련하는 것이 더 중요하다.

우리는 모든 것을 시장에 맡겨도 될 정도로 영리하지 못하다.

정부 규제를 통해 선택의 범위를 제한하여 문제의 복잡성을 줄임으로써 결과적으로 일이 잘못될 가능성을 낮출 수 있기 때문이다. 규제의 효율성은 행위의 복잡성을 제한해서 피규제자들이 보다 나은 의사 결정을 내릴 수 있도록 한다는 데 있다.

GM에 좋은 것이 항상 미국에도 좋은 것은 아니다.
지난 40년 동안 GM은 자사의 쇠퇴를 막기 위해 한 가지만 빼고 모든 노력을 기울였다. 그 한 가지가 바로 더 나은 차를 만드는 것이라는 점이 안타깝지만 말이다. 개별 기업의 자유를 제한하는 규제가 산업 부문 전체의 집단적 이익, 나아가서는 나라 전체의 이익에 도움이 될 수 있다.
우리는 여전히 계획 경제 속에서 살고 있다.
대다수의 정부는 이른바 '부문별 산업정책'을 통해 핵심 산업 일부의 미래를 계획하고 틀을 잡는다. 유도 계획을 사용했던 유럽, 동아시아 국가들은 모두 부문별 산업 정책 역시 적극적으로 수행했다. 유도 계획을 사용하지 않은 스웨덴과 독일 같은 나라들도 부문별 산업 정책은 추진했다.
기회의 균등이 항상 공평한 것은 아니다.
기회의 균등이 진정한 의미를 가지려면 일정 수준 이상의 결과의 균등이 보장되어야 한다. 말하자면 부모가 아이를 굶기지 않을 정도로는 돈을 벌 수 있어야(결과의 균등) 그 아이도 같은 조건에서 다른 아이들과 경쟁할 수 있는 것이다.
큰 정부는 사람들이 변화를 더 쉽게 받아들이도록 만든다.
잘 설계된 복지 정책이 있는 나라 국민들은 일자리와 관련된 위험을 감수하기를 두려워하지 않고 변화에 오히려 개방적인 태도를 취한다.

결 론

자유 시장주의라는 고삐 풀린 자본주의에 대한 맹목적 사랑에서 눈을 떠, 더 잘 규제된 다른 종류의 자본주의를 해야 한다. 인간의 합리성은 어디까지나 한계가 있다는 인식 위에서 새로운 경제 시스템을 구축해야 한다. 탈산업화 지식 사회는 신화에 불과하고, 제조업은 지금도 경제에 필수적이다. 더 크고 더 적극적인 정부가 필요하다. 정부의 역할은 철저히 재평가될 필요가 있다. 정부는 풍요롭고 평등하며 안정적인 사회를 건설하는 데 더 큰 역할을 해야 한다.

-번영과 산업정책

작가는 1963년 서울에서 태어났다. 현재 케임브리지 대학 교수다. 독립운동가 집안이자 노블레스 오블리주를 실천한 집안이다. 문재인 정부의 소득주도성장론의 기초를 제공한, 전 청와대 정책실장을 지냈던 장하성과는 사촌관계다.

책은 2010년 이명박 정권 때 출간되었다. 신자유주의가 맹위를 떨치던 시대에 신자유주의 정책의 실상을 통렬하게 비판했다. 신자유주의 경제정책의 성과는 성장 둔화와 항시적 금융위기라는 사실을 명확히 밝혔다. 정부 주도의 산업정책을 주장하고, 복지에 대한 인식 전환(복지는 공동 구매)에도 기여했다.
'많은 나라들이 '탈산업화 사회'의 시대가 왔다고 철석같이 믿고 제조업을 홀대하여 자국 경제를 약화시켰다. 자유 시장 정책을 써서 부자가 된 나라는 과거에도 없었고, 앞으로도 거의 없을 것이다.

더 크고 더 적극적인 정부가 필요하다. 정부의 역할은 철저히 재평가될 필요가 있다. 정부는 풍요롭고 평등하며 안정적인 사회를 건설하는 데 더 큰 역할을 해야 한다.'
정부 주도의 산업정책 없이 번영을 이룬 나라와 도시는 없다. 더구나 민간 영역에서 좋은 일자리는 만들어지지 않는 구조가 되었다. 기술발전으로 일자리는 더 빠르게 사라질 것이다. 유도 계획이든, 부문별 산업정책이든 정부 주도의 산업정책을 통해 예견된 혼란과 불행을 막아야 한다.

사람에 대한 존중 없이는 아무 일도 이루지 못한다.

무신불립(無信不立), 믿음은 곧 존중이다.

구동존이(求同存異), 다름도 존중해야 한다.

모든 업(業)에는 본질이 있다.

정치업은 무한한 존중과 헌신이 업의 본질이다.

누군가 제 이름을 잘못 불러준 일이 있었다.

나는 이렇게 말했다.

"친구나 사업 파트너의 이름을 잘못 부른 것은 실례지만,

정치인의 이름을 잘못 부른 것은 그 사람의 책임이 아니다.

이름이 가슴에 남을 만큼 봉사하지 않은 정치인의 책임이다."

정치업의 본질은 존중과 헌신이다.

5장

정치는
존중과
헌신이다

1. 새로운 가능성과 사람과 산업을 발견해야 한다
「발견의 시대」임규찬

−빛나는 생각
 인간의 삶은 차이가 차이를 만나 차이를 만들어나가는 과정
이다.
더 나은 정치경제사회시스템을 만드는 것이 목표가 되어야
한다.

 공동체
 인간과 공동체는 서로를 흘겨본다.
인간의 근저에는 공동체로 향하고, 공동체를 의식하고, 걱정
하고, 갈망하는 강렬한 욕망이 있다. 인정받기는 생존의 문제
였다. 그러기에 우리에게 이토록 강렬하게 남아 있는 것이다.
 공동체는 인정욕망을 수용해야 한다. 공동체는 말이 독점되
지 않아야 한다. 공동체는 중심이 희미해야 한다. 공동체에는
대화가 있어야 한다. 대화는 차이가 차이를 만나 차이가 만들
어지는 과정이다. 공동체는 명예원리가 강조되어야 한다. 공
동체는 느슨해야 한다.

 신자유주의

나쁜 사회 속에 좋은 삶은 존재하지 않는다.

생명이 다한 '신자유주의적 민주주의'를 대체할 새로운 이데올로기는 '직접민주주의 협력경제'가 되어야 한다.

사람과 조직과 법이 바뀐다고 세상이 바뀌지 않는다. 세상이 바뀌기 위해서는 욕망이 바뀌어야 한다. 변화를 위한 사건은 이미 충족되었다. 협력의 가치를 발견해야 한다. 협력은 안전과 번영이다. 협력은 명예와 존경이다.

협력은 인정과 성공이다. 직접민주주의 협력경제로 욕망의 구조를 바꾸고 그것으로 정치경제사회시스템을 재조직할 수 있다.

직접민주주의 협력경제는 소비자운동과 결합될 때 힘을 발휘할 수 있다.

정치와 정치인

정치인은 더 나은 사회를 위해 헌신하지만, 정치꾼은 자신의 성공을 위해 헌신한다.

정치인은 진정성을 가지고 있지만, 정치꾼은 계산기를 가지고 있다.

정치인은 권력의지가 없지만, 정치꾼은 권력의지가 이글거린다.

정치인은 발견되지만, 정치꾼은 핏대 세우며 자신을 선전한다.

정치인은 인간에 대한 깊은 이해를 가지고 있지만, 정치꾼은 인간을 도구화한다.

정치인은 어떤 일을 하는 것이 목적이지만, 정치꾼은 무엇이 되는 것이 목적이다.

 정치인은 시장에 굴복하지 않지만, 정치꾼은 시장에 굽신거린다.

 정치인은 명예와 부끄러움을 알지만, 정치꾼은 힘 있는 사람을 안다.

 정치인은 역사를 만들지만, 정치꾼은 역사를 왜곡한다.

 정치인은 미래를 현재로 가져오지만, 정치꾼은 현재를 과거로 가져간다.

 정치인은 배우려는 자세를 견지하고 있지만, 정치꾼은 학벌을 우려먹는다.

 정치인은 시대의 과업을 떠안지만, 정치꾼은 공천 주는 자의 과제를 떠안는다.

 정치인은 타인의 고통을 깊이 공감하지만, 정치꾼은 사진찍기에 깊이 공감한다.

 정치인은 말이 기어 다니지만, 정치꾼은 말이 날아다닌다.

 정치인은 대화를 하지만, 정치꾼은 말을 독점한다.

 정치인은 인간을 보지만, 정치꾼은 의전을 본다.

 정치꾼은 말을 부패시킨다.

 권력의지가 없고 인간과 역사에 대한 이해가 깊은 정치인을 발견하는 시대, 발견의 시대다.

 번영
 인간과 인간 사회는 적당한 환경만 갖춰지면 선하든 악하든 금세 싹을 틔운다. 씨앗을 뿌리고, 싹을 돌보고, 어린나무를 가꾸는 일은 정부의 몫이다. 경제성장을 이룬 나라들 대부분은 정부 주도의 산업정책을 통해서였다.

 유능한 정부가 국가를 번영으로 이끄는 일은 어려운 일이 아
니다.

 산업정책의 대상은 전후좌우 연관성이 큰 산업이어야 한다.
그 산업의 발달이 여타 산업으로 쉽게 퍼져나가야 산업정책
의 효과가 극대화된다. 가속적으로 발전하는 과학기술을 포
괄하고, 전후좌우 연관성이 극대화되는 산업을 발견하는 것
이 관건이다. '에너지 산업정책'은 이 조건들을 모두 충족
시킨다. 에너지 산업정책은 나노기술과 로봇공학 · 인공지능
과 함께 발전하며 재료 공학과 결합함으로써 자동차 · 항공 ·
철강 등 산업 전 부문의 발전을 이끌 수 있다. ESS(에너지 저
장 장치 : energy storage system)도 함께 발전해야 하므로
화학 산업도 견인한다.

 강대국 사이에 낀 작은 정부는 소국을 만들 뿐이다. 강대국
사이에 낀 유능한 큰 정부는 대국을 만든다.

 "유토피아는 목표가 아니라 방향이다" (로베르 무질)

 청산

 우리 현대사에서 야만은 친일파에 집약되어있다. 강제 병합
된 지 20~30년이 지났음에도 수많은 사람들이 저항을 멈추
지 않았다. 친일파들의 변명, 그 시절 다 그랬다는 말은 사실
이 아니다.

 야만에 맞선 사람들, 그들은 슬픈 운명을 짊어진 사람들이
었다. 우리나라에 위대함이 있다면 그것은 바로 그들이다.

친일파는 반공투사로, 독재로, 자국민 학살로, 국가의 수익 모델화로, 국정농단으로 다시 돌아왔다. 청산은 다시 야만으로 미끄러지지 않는 안전장치다.

청산은 신뢰 회복이다. 신뢰할 수 있어야 사회는 정상적으로 작동한다.

자유

* 자유는 민주주의 안에 있다
* 자유는 평등 안에 있다
* 자유는 관계 밖에 있다
* 자유는 인정욕망 밖에 있다
* 자유는 창조적 몰입 안에 있다

죽음

근대 이후 죽음은 삶에서 멀어졌다. 죽음이 숨겨진 결과, 죽지 않을 것처럼 산다. 죽음이 멀어진 후 인간은 저열해졌다. 죽지 않을 것처럼 사는 삶에 남겨진 것은 파괴적 자유와 돈이다.

죽음에 관한 한 현대인들은 인류 역사상 가장 무지하다. 죽음은 삶과 묶여 있다. 고통과 행복, 성공과 실패도 마찬가지다. 죽음이 올바로 규정되어야 삶은 명확해지고 온전해진다. 죽음은 결국 삶의 문제다.

죽음을 인식하는 것은 하나의 질문으로 되돌아온다.

'어떻게 살 것인가?'

―어떻게 살 것인가?

작가는 1968년 생이다. 부산에서 태어나 부산에서 작가로 살고 있다. 함께 푸념하는 친구다. 운동과 술을 좋아하고, 성격이 급하다. 가끔 같이 말을 버벅거리기도 한다. 비슷하게 직장 생활을 했고, 또 비슷하게 새로운 길로 접어들었다. 지친 어느 저녁 작가는 말했다. 이 세상에서 가장 좋은 직업은 작가라고.

작가는 당시 우리 사회의 공백을 인식했고 그것을 메우기 위한 작업이었다고 말했다. 작가의 또 다른 저작 환대의 도시가 부산 차원의 잘 사는 것이라면 발견의 시대는 우리나라 차원의 잘 사는 것에 대한 고민이라 할 수 있겠다.

책은 총 7개의 장의 되어있다. 공동체, 신자유주의, 정치와 정치인, 번영, 청산, 자유, 죽음 등 7개의 장으로 구성되어 있다.

얇은 책이지만 사고의 두께는 두텁다. 말의 독점을 경고하고, 직접민주주의 협력경제를 주장하고, 정치인과 정치꾼에 대한 대구(對句)로 좋은 정치인의 발견을 강조한다. 번영을 위한 산업정책을 강조하고, 청산되지 않은 과거는 반드시 되돌아옴을 경고한다. 그리고 자유는 민주주의 안에, 평등 안에, 관계 밖에 , 인정욕망 밖에, 창조적 몰입 안에 있다고 말한다. 마지막으로 죽음을 얘기하면서 죽음은 삶과 묶여 있고, 죽음이 올바로 규정되어야 삶은 명확해지고 온전해진다고 주장한다. 책은 한 문장의 질문, '어떻게 살 것인가?'으로 끝을 맺는다.

 책은 전체적으로 구성의 짜임새가 있다. 뛰어난 통찰력이 좋은 문장으로 표현되었다. 전체적으로 문학적이라는 느낌이다. 세계적인 작가의 반열에 오르기를 친구로서 기원해 본다.

2. 행복은 사회적 유대와 좋은 관계다
「거대한 전환」 칼 폴라니

19세기 문명을 떠받치던 것은 네 개의 제도였다.(세력 균형 체제, 국제 금본위제, 자기조정 시장, 자유주의적 국가) 이 제도 가운데에 금본위제가 결정적인 것이다.

이것의 몰락이야말로 그 문명 붕괴 파괴의 원인에 가까운 것이었다.

19세기 체제가 나오게 된 원천이자 모태였던 것은 자기조정 시장이었다.

20세기 들어서 세계 경제는 해체되었고, 1930년대에 들어서면 문명 전체가 전환을 겪게 된 바, 이 둘 사이를 잇는 보이지 않는 고리는 바로 국제 금본위제의 붕괴였다.

시장 경제, 자유무역, 금본위제는 모두 영국의 발명품들이었다. 이러한 제도들은 20세기에 들어오면 세계 도처에서 붕괴된다. 파시즘 체제로 귀결되고 만 독일, 이탈리아, 오스트리아 등은 그저 그 붕괴가 좀 더 정치적이었고 좀 더 극적이었을 뿐이다.

인간의 경제는 일반적으로 인간의 사회관계 속에 깊숙이 잠겨 있었다. 인간은 물질적 재화의 소유라는 개인적 이해를 지켜내기 위해 행동하는 것이 아니다. 그가 행동하여 지키려는 것은 그의 사회적 지위, 사회적 권리, 사회적 자산이다. 인간이 물질적 재화에 가치를 부여하는 것은 오로지 이러한 목적들에 도움이 되는 만큼으로 한정된다. 인간에게 결정적인 것은 사회적 유대를 유지하는 일이다.

중세가 종언을 고할 때까지 서유럽에서 시장이 중요한 역할을 맡은 적은 없었다.

노동이나 토지가 의미하는 바가 무엇인가. 그것은 다름 아닌 사회를 구성하는 인간 자체이며 또 사회가 그 안에 존재하는 자연환경인 것이다. 이것들을 시장 메커니즘에 포함한다는 것은 실체 자체를 시장의 법칙 아래에 종속시킨다는 뜻이다.

토지, 노동, 화폐는 분명 상품이 아니다. 매매되는 것들은 모두 판매를 위해 생산된 것일 수밖에 없다는 가정은 이 세 가지에 관한 한 결코 적용될 수 없다. 인간 활동은 인간의 생명과 함께 붙어있는 것이며, 판매를 위해서가 아니라 전혀 다른 이유에서 생산되는 것이다.

토지란 자연의 다른 이름일 뿐인데, 자연은 인간이 생산할 수 있는 것이 아니다. 현실의 화폐는 그저 구매력의 징표일 뿐이며 구매력이란 은행업이나 국가 금융의 메커니즘에서 생겨나는 것이지 생산되는 것이 아니다. 그러므로 노동, 토지, 화폐를 상품으로 묘사하는 것은 전적으로 허구다.

인간과 자연환경의 운명이 순전히 시장 메커니즘 하나에 좌우된다면 결국 사회는 완전히 폐허가 될 것이다.

인간과 자연이라는 사회의 실체 및 사회의 경제 조직이 보호

받지 못하고 시장 경제라는 사탄의 맷돌에 노출된다면 그렇게 무지막지한 상품 허구의 경제가 몰고 올 결과를 어떤 사회도 단 한 순간도 견뎌내지 못할 것이다.

 사회는 시장경제 체제의 자기 조정에 내재한 재난에 맞서 스스로를 보호했으니 이것이 19세기 역사의 가장 포괄적인 특징이다.

 인류의 존엄성은 인간이 도덕적인 존재라는 것에서 기인하고, 우리는 인간으로서 가족과 국가, 나아가 인류라는 거대한 사회와 같은 공동체의 일원이라는 도덕적 존재이며, 인간의 존엄성도 여기에서 나온다는 것이다.

 로버트 오언은 국가와 사회가 다른 것이라는 것을 깊이 인식하고 있었다. 핵심은 사회다. 오언은 입법을 통한 개입과 방향 제시로 이 파괴적인 힘과 맞서지 않는 한, 실로 거대하고 영구적인 사회악들이 필연적으로 생겨날 것이라는 주장을 외쳤다.

 개인이 굶주리도록 내버려두지 않는다는 점에서 원시사회는 시장경제보다 더 인간적이지만 경제성은 덜하다고 말할 수 있다. 협동과 단결의 원리를 따르기만 하면 인간은 개인의 자유나 사회적 연대 또 인간의 존엄과 옆사람에 대한 동정과 공감과 같은 가치들을 희생시키지 않으면서도 기계의 문제를 해결할 수 있으리라는 것이었다.

 자유주의적 자본주의는 산업과 정치 제도가 충돌하여 사회 전체가 마비될 사태까지 이르고 말았다. 파시즘은 이런 막다른 골목에 대한 해결책으로 등장했다. 파시즘은 전 세계적인 현상이었고 규모에도 보편성을 가지며 현실 적용의 범위 또한 전면적이었다.

19세기 사회의 태생적 약점은 그것이 산업사회였다는 것이 아니라 시장사회였다는 것이다. 19세기 질서의 회복처럼 불가능한 것을 시도하는 일이 계속된다면 결국 침략과 정복을 주장하는 사악한 운동이 그에 맞서서 세력을 얻게 될 것이다.

시장 경제 아래에서는 자유도 평화도 제도화될 수 없었다. 그 체제가 목표로 삼는 것은 이윤과 물질적 안녕을 창출하는 것이지 평화와 자유를 창출하는 것이 아니기 때문이다.

규제와 통제를 통해 단지 소수가 아닌 모두를 위한 자유를 달성할 수 있다.

옮긴이 해제

진정한 진리는 만유인력 법칙이 아니라 중력을 뿌리치고 새가 하늘 높이 날아오른다는 것이다. 인간 존재의 핵심은 국가도 기계도 시장도 아니라 인간과 인간이 실제로 관계를 맺는 사회다. 국가도 시장도 이 사회라는 실체가 필요로 하는 기능을 수행하기 위한 제도에 불과하다. 따라서 사회를 시장에 묻어버리려 하거나 국가에 묻어 버리려는 행위는 모두 인간의 자유와 이상을 근본적으로 파괴하는 비극만 낳고 모두 실패했다. 올바른 방향은 사회라는 실체와 거기에 담겨있는 인간의 자유와 가치와 이상을 틀어쥐고서, 국가와 시장을 그러한 목적에 복무할 수 있는 기능적 제도로써 제자리로 돌려놓는 것이다.

－자기조정시장이라는 환상

 작가는 1886년에 오스트리아 비엔나에서 태어나 1964년에 캐나다에서 사망했다. 뿌리 뽑힌 삶이었다. 28살인 1914년 1차 세계대전, 33살인 1919년 공산 혁명, 34살인 1920년에 극우 파시스트 반혁명, 43살인 1929년에 대공황48살인 1934년에 파시즘 정권, 53세인 1939년에 2차 세계대전. 그가 살았던 동안 일어난 일들이다. 유대인인 그는 피신과 이주를 반복했다. 위대한 저작, 거대한 전환은 58세 때인 1944년에 출간되었다.

 그는 자본주의가 상품화할 수 없는 것들 또는 상품화해서는 안 되는 것들－노동, 토지, 화폐－을 상품화했기 때문에 그 자체로 불안정요인을 가지고 있다고 주장했다. ‘인간은 한 결 같이 사회적 존재라는 것이다. 인간의 경제는 일반적으로 인간의 사회관계 속에 깊숙이 잠겨 있었다. 인간에게 결정적인 것은 사회적 유대를 유지하는 일이다. 토지, 노동, 화폐는 분명 상품이 아니다. 인간과 자연환경의 운명이 순전히 시장 메커니즘 하나에 좌우된다면 결국 사회는 완전히 폐허가 될 것이다. 사회는 시장경제 체제의 자기 조정에 내재한 재난에 맞서 스스로를 보호했으니 이것이 19세기 역사의 가장 포괄적인 특징이다.’

 신자유주의의 환상보다 더 근원적인 자기조정시장이라는 환상을 파헤친 폴라니의 업적은 위대하다. 사회적 유대와 좋은 관계라는 핵심어를 생각게 하는 책이다.

3. 가능성의 예술을 보여줄 용기

「협상의 전략」 김연철

−빛나는 생각

적에서 친구가 될 때는 서두르지 말아야 한다.

누구라도 배제되면 갈등의 씨앗이 자란다.

케네디는 군부가 무모하고 무책임하다고 생각했다. 군이나 정보 당국 이른바 전문가를 믿지 마라. 위기의 순간 자신이 쓸 수 있는 시간이 얼마나 되는지 판단하는 일은 중요하다.

케네디행정부는 가능한 선택을 나열한 뒤 각각의 결과를 검토해 가장 나쁜 선택부터 배제했다.

긴장이 높이지면 사건이 발생한다.

최소한 출구를 마련해 주고 상대를 몰아야 파국을 면할 수 있다.

비밀 채널은 상호신뢰를 바탕으로 당사자들이 언제든지 만날 수 있어야 하며, 최소한 외교와 정치 분야를 동시에 알아야 하고, 최고 지도자와 직접 연결되어 있어야 한다.

내부 강경파를 협상의 수단으로 활용하라.

인간은 누구나 상대가 자신을 속였다고 판단하면 그때부터 상대방의 어떤 말도 믿지 않으려 한다.

모네는 모네는 무엇이 되고 싶은 사람이 아니라 무언가를 이루려는 사람의 전형이다. 그는 생각을 파는 사람이었다. 언제나 자신의 생각을 가다듬은 다음 그것을 실행할 힘 있는 사람을 찾았다.

유럽석탄철강공동체는 정부 간 협의 기구가 아니라 개별국가의 주권 일부를 이양한 초국가적 기구다. 모든 참여국은 석탄과 철강 분야에 대한 주권을 독립적인 기구인 고위행정청에 넘겨야 한다.

양보하지 않아 이익을 지켰다고 생각하지만 문제가 해결되지 않으면 언제든 다시 대가를 치러야 한다. 때로는 지금 양보하는 것이 나중에 크게 얻는 기회가 되기도 한다.

일본의 전후 배상
미얀마 3억 4000만 달러
필리핀 5억 5000만 달러
인도네시아 3억 9308만 달러

가해자는 기억이 아니라 망각을 말하고 불행했던 과거를 잊고 미래를 협력하자고 한다. 그러다가 현재의 권력을 차지하면 과거의 기억을 장악해서 현재의 불의를 유지하고 미래의 권력을 독점하려 한다.

한번 일어났던 일은 얼마든지 다시 일어날 수 있다. 그것이 우리가 말하고자 하는 핵심이다.(프레모 레비)

베를린 장벽은 어떻게 무너졌을까? 제재와 압박으로 무너졌다는 사람들이 있다. 그러나 압박은 사회주의 정권들의 유지

명분이었고, 제재는 주민들의 고통만 키웠다.

 바르는 현상을 변화시키기 위해서는 먼저 있는 그대로의 현상을 인정해야 하며, 동독에서 자유의 발전은 새로운 정책을 펼치기 위한 전제 조건이 아니라 그로부터 기대되는 결과라고 주장했다.

 갈등을 두려워할 것이 아니라 오히려 기득권과 부딪치고 투쟁해야 한다. 브란트를 우리가 위대한 정치인이라 부르는 이유가 여기에 있다. 동방정책은 엄청난 국내 반발을 무릅쓰고 추진되었다. 그는 갈등을 미래를 향한 진통이라 생각했다. 위대한 정치는 시시때때로 변하는 여론에 춤추는 것이 아니라 여론을 끌고 가고, 사건에 대응하는 것이 아니라 역사를 만들고, 과거의 관성에 안주하는 것이 아니라 미래를 위해 전진한다.

 어느 시대나 어느 사회나 가능성의 예술을 보여줄 용기 있는 정치인을 목 놓아 기다린다. 시대적 과제를 해결하는 데 두려움을 느끼지 않는 그런 지도자 말이다.

 미국 인구 중 아일랜드계는 3,400만명에 달한다. (12%). 아일랜드 대기근(1845-1852)에 아메리카로 이주한 사람들이다.

 협상의 절차와 규칙 − 협상의 항목과 논의 순서 − 가장 기초적인 합의의 윤곽 − 쟁점 안건들은 뒤로 돌려 집중 논의.

 협상에서 강경파를 배제하면 합의에 이르더라도 합의를 이행하기 어렵다.

 도저히 타협하기 어려운 문제가 있더라도 그것 때문에 합의

를 무산시키는 것은 어리석은 일이다. 그럴 때 사용하는 협
상의 기술이 '창의적 모호성'이다. 창의적 모호성은 양쪽 입
장을 포괄할 수 있고, 강경파를 설득할 수 있고, 여지를 남기
게 된다.

 어려운 문제의 해법은 그 안에 새로운 문제의 씨앗을 포함
하고 있다. 그래서 합의 이후 협력을 통해 모호한 사항을 구
체화해야 한다.
 포기하지 말아야 한다. 평화는 천천히 오는 것이다.(예이츠)

−가능성의 예술, 그리고 용기

 작가는 1964년 강원도에서 태어났다. 현재 통일부 장관이다. 책은 2016년 출간되었다. '세계 곳곳에서 벌어진 다양한 협상의 역사를 들려주며, 그 협상을 이끈 리더들이 위기의 순간 어떤 선택을 했는지 살핌으로써 협상에 임하는 자세와 참된 리더의 역할이 무엇인지 돌아'볼 수 있는 책이다.

 곳곳에서 뛰어난 통찰을 보여 준다.

'위기의 순간 자신이 쓸 수 있는 시간이 얼마나 되는지 판단하는 일은 중요하다. 최소한 출구를 마련해 주고 상대를 몰아야 파국을 면할 수 있다. 인간은 누구나 상대가 자신을 속였다고 판단하면 그때부터 상대방의 어떤 말도 믿지 않으려 한다.'

 우리가 기다리는 정치인의 상도 제시한다.

'모네는 무엇이 되고 싶은 사람이 아니라 무언가를 이루려는 사람의 전형이다. 갈등을 두려워할 것이 아니라 오히려 기득권과 부딪치고 투쟁해야 한다. 어느 시대나 어느 사회나 가능성의 예술을 보여줄 용기 있는 정치인을 목 놓아 기다린다. 시대적 과제를 해결하는 데 두려움을 느끼지 않는 그런 지도자 말이다. 포기하지 말아야 한다. 평화는 천천히 오는 것이다.(예이츠)'

 책임을 진다는 것은 한 편으로는 뿌듯한 것이고, 다른 한 편으로 부담스러운 일이다. 좋은 정치에 대한 시민들의 갈망, 책임으로부터 도망 다니지 않으리라.

4. 희망, 살아 있는 자의 의무
「희망, 살아 있는 자의 의무」 지그문트 바우만

－빛나는 생각

우리가 처한 상황은 "체계적인 모순을 개인적으로 해결해야 할 처지"다.(울리히 벡)

모더니티는 300년 전부터 시작되었다.

지난 40~50년 동안 우리는 고체근대를 거쳐 액체근대의 시기로 이동했다.

근대가 양산한 최고의 모델이 바로 18세기 후반 영국의 공리주의 철학자 제레미 벤덤이 고안한 판옵티콘 모델이다. 죄수들로 하여금 규율과 감시를 내면화하여 끊임없이 스스로를 감시하게 만드는 것이 목적이었다. 이러한 생각의 바탕에는 좋은 감시 체제란 감시 대상자의 선택권을 최대한 없애는 것이라는 가정이 깔려 있다. 선택의 기회나 생각의 가능성이 적으면 적을수록 상황은 더 나아지는 것이다. 바로 이러한 형태가 고체근대를 지배한 사회 운영의 핵심 원칙이었다.

역사상 최초로 우리는 변화 그 자체를 인간 삶의 영구적 조건으로 받아들여야 하는 사태에 직면했다.

자신의 존엄을 지키면서 윤리적으로 올바르게 동시에 세속적으로 성공할 수 있는 현명한 행동양식을 찾아야 한다.

현대 문화에는 광기의 낌새가 서려 있다.

고체 근대의 단계에서 기본적인 전략적 원칙은 약자를 그들의 책임 하에 종속시키는 방식이었다. 강자는 책임을 독점하기를 원했다. 그리고 약자는 위로부터 내려오는 질서, 원칙, 명령을 그저 따라야만 했다. 하지만 최근 들어 책임은 권력을 가진 소수의 거대 집단으로부터 약자들에게로 이동하고 있다.

책임은 주인을 잃어버렸다.(한나 아렌트)

진정한 배움이란 실패의 위험을 감수하는 결단이며, 견고한 지평을 뒤흔드는 도전이어야 한다. 바로 그 지점에 희망이 자리하는 것이다.

비인간적인 조건 속에서도 끝끝내 인간으로 남고자 하는 것이 가장 어려운 투쟁이다.(야니나 바우만)

오래된 시스템은 이미 작동을 멈추었지만 그렇다고 문제를 해결할 새로운 방식이 고안된 것도 아닌 상태. 공위의 시대. 작동을 멈춰버리고 만 시스템을 대체할 수 있는 힘을 찾고, 또 문제를 처리할 수 있는 주체를 발명하는 것이 핵심이다.

좋은 사회란 '지금 이 사회가 결코 충분치 않다고 생각하는 사람들이 살고 있는 사회'가 아닌가 생각합니다. 즉 자기 비판적이면서도 잘못된 것을 개선하고, 나아가 변화를 원하는 사람이 많은 사회가 좋은 사회입니다.

좋은 삶이란 좋은 사회에서 사는 것(아리스토텔레스)

우리의 의무는 '바다에 띄운 편지'(아도르노)

자유 없는 안전보장(노예)과 안전보장 없는 자유(혼란) 사

이의 진자운동

모든 문명화란 자유와 안전보장 사이의 교환이자 거래(프로이드)

많은 사람들이 자신의 상태에 대해 불행을 느끼는 이유는 안전보장을 얻으려는 대가로 너무 많은 자유를 포기했기 때문. 누구도 통제하지 않는 것처럼 보이는 현대 세계는 모두를 불확실성의 그림자 안으로 밀어 넣는다. 불안전한 안전보장(직업안정성), 불확실한 확실성, 불안전한 안전.

자유화라는 미명 아래 자발적이라 할 수 있는 공적인 힘의 후퇴는 우리가 자초한 것이다. 사적 이익에 대한 지대한 관심이 아고라를 침범하고 점령했다. 아고라는 개인의 고통과 절망을 공동의 문제로 다루게 하며, 나아가 공동선과 정의로운 사회의 모습을 함께 그리기 위한 아이디어를 공유하는 공간. 개인의 권리와 공적인 의무 사이의 관계도 붕괴되었다.

지금은 길고 어두운 터널 속에서 금세 사라질 듯 깜빡이는 아련한 불빛을 따라 슬픔을 뚫고 지나가는 헛된 수고를 하고 있는 듯하다.

전망은 일시적이고, 좌절은 오래 간다. 더 높고 멀리 볼수록, 자괴감과 패배감은 더 심해진다.

오늘날 불평등은 자체의 논리와 추진력에 의해 계속 심화된다.

신자유주의 경제가 양산한 최대의 결과 중 하나가 중산층의 프레카리아트로의 전락이다. 고통은 각자의 몫이다.

자신들이 처한 비참하고 고통스러운 삶의 조건들은 치욕과

열등함의 생생한 증거이자 지울 수 없는 상처다.

 소비주의가 인간의 근본 조건 중 하나로 자리를 잡았다.

 오늘날 사람들은 자신들의 삶을 서로 공유하고 있는 사회의 발전을 통해 삶의 질 향상을 꾀할 수 있다고 생각하지 않는다.

 인간 유대의 연약화.

 행복의 반대말은 불행이 아니라 의미 없음이다.

 30년 종교전쟁의 결과 1648년 베스트팔렌 조약. 모든 군주가 자신이 지배하는 영토와 그 거주민들에 대해 갖는 완전한 통제권을 재확인. 종교의 자리에 국가를 대체하는 단순한 방법이 우연하게도 이후에 탄생하게 될 새로운 유럽의 세속적 정치구조에 대한 의식적 틀과 기반을 제공했다. 우리는 여전히 포스트 베스트팔렌 시대를 살고 있다.

 타인과의 공존, 타인의 타자로서 살아가는 것, 이것이 근본적인 인간의 과제다.

 작은 커뮤니티에 기대한다. 그곳에서 변화가 시작될 것이다. 어렵겠지만 불가능하지는 않다.(알랭 바디우)

 세방화 - 세계화+지방화. 지역과 지구 전체가 갖은 긴밀한 상호 관련성.

 형식에 얽매이지 않는 열려있는 협동.

 공생의 원칙은 사전에 계획되거나 부과되는 것이 아니라 협동의 과정 속에서 자연스럽게 나타난다.

 짜르제국 300년 만에 붕괴, 중국제국 평균 250년, 소비에트는 74년 만에 붕괴. 케인지안 1930-1970년, 신자유주의

1970-2008년. 전 세계적인 시스템은 오래 가지 못한다.

 구조가 형성되어 굳어버리기 전에 특정한 사회적 요소들은 사전에 탄탄한 기반을 형성해야 한다.
 고대 노예, 중세 농노, 현대 직장인.
 홀로코스의 교훈은 제대로 선택할 수 없는 또는 선택에 큰 비용이 따르는 상황에 놓이게 되면 대부분의 사람들은 아주 쉽게 자신을 도덕적 의무의 문제로부터 벗어나며 대신 합리적인 이익과 자기 보존을 택한다는 것이다.
 세상에는 아름다운 것들이 있다. 이와 함께 치욕 속에 있는 이들도 있다. 세상이 그 어떤 역경을 줄지라도, 나는 이 둘 모두에게 충실할 것이다.(알베르 카뮈)
 사람들은 협력을 원한다. 보다 안전한 상태를 갈구하고, 협상하며 기회를 모색한다.
 우리는 우리가 어디로 향하는지 분명한 그림을 그리지 못하고 있다.

 무엇을 해야 하는가? 누가 해야 하는가?
 게오르그 루카치 - 나 자신을 넘어서는 타인을 향한 헌신은 고독을 종식시킨다. 아무도 윤리가 인간 삶에서 갖는 최고의 가치는 인간 사이에 그러한 교통이 존재한다는 사실, 근원적 홀로 있음이 끝날 수 있다는 사실에 있다. 윤리는 모든 인간에게 공동체의 감각을 배양시킨다.
 인간이 된다는 것은 창조적 변화를 만들어내는 실천에 참여하는 것. 그 자체로 예측 불가능한 존재가 되는 것이며, 궁극적으로는 자유롭게 되는 것.

 사람에게 오래 지속되는 고통을 야기하는 최선의 방법은 그들에게 가장 중요하게 보이는 무언가를 시시하고, 진부하며, 무기력하게 만들어버림으로써 굴욕을 주는 것이다.

 빈곤보다 굴욕을 주는 것은 없으며, 그 중에서도 하루빨리 부자가 되기 위해 혈안이 된 이들이 느끼는 빈곤보다 더욱 굴욕적인 것은 없다.

 약자의 불행과 가지지 못한 자들의 곤경에 얼마만큼 관심을 기울일 수 있느냐 하는 문제가 한 사회의 질과 수준을 평가하는 중요한 척도다.(불행과 가난한 이들에 대한 관심의 정도가 한 사회의 수준을 평가하는 척도다.) 새로운 인간 사회의 질서는 인간의 고통을 최대한 줄이는 것이다.

 공동체의 존속이나 개인의 권리, 직업 안정성, 자유와 새로운 형태의 감시 사이의 긴장 관계, 나아가 사랑이나 성에 이르기까지 사적이고 내밀한 수준까지 액체화는 내재하게 되었다.

 유토피아는 목표가 아니라 방향이다.(로베르트 무질)

 세상과 홀로 맞서는 사회, 그러다 홀로 사그라지는 사회.

 서로를 위해서는 살아가지 않는 사회, 그래서 타인은 지옥이다.(사르트르)

 위기는 낡은 것은 죽어 가는데 새로운 것이 탄생하지 않았다는 사실에서 정확히 발생한다. 이러한 공위의 시간에는 온갖 병적 징후들이 출현한다.(그람시)

−그래도 희망이다

 작가는 1925년 폴란드에서 태어났다. 1939년 폴란드가 나치에 의해 점령당하였을 때, 그의 가족은 소비에트 연방 쪽으로 탈출했다. 반유대주의 축출운동에 의해 1971년 망명한 이후에 영국에서 거주하였다. 2017년 1월 9일 사망했다. 그의 저작은 근대성과 홀로코스트, 소비주의, 반세계화 또는 대안 세계화 운동 그리고 윤리학에 관한 것들이다.

 '자신의 존엄을 지키면서 윤리적으로 올바르게 동시에 세속적으로 성공할 수 있는 현명한 행동양식을 찾아야 한다.
 좋은 사회란 '지금 이 사회가 결코 충분치 않다고 생각하는 사람들이 살고 있는 사회'가 아닌가 생각합니다.
 좋은 삶이란 좋은 사회에서 사는 것(아리스토텔레스) '소비주의가 인간의 근본 조건 중 하나로 자리를 잡았다.'
 타인과의 공존, 타인의 타자로서 살아가는 것, 이것이 근본적인 인간의 과제다. 공생의 원칙은 사전에 계획되거나 부과되는 것이 아니라 협동의 과정 속에서 자연스럽게 나타난다.'

 절망은 쉽다. 어려운 것은 희망이다. 희망이 고문일 수 있지만, 그래도 인간은 희망에 기대야 한다. 정치인은 희망이라는 어려운 길을 가는 사람이다.

에필로그

―혁신의 정치, 고도(古都) 동래의 혁신을 꿈꾸며

"괜찮아. 남자는 다 그 놈이 그 놈이야. 세상에 별 남자 있는 줄 아냐?"

이런 말은 드라마에서도 흔히 듣는다. 나이 한두 살이라도 많은 여성이 젊은 후배나 동생들에게 연애 상담을 하면서 자주 하는 말로 이제는 상투적으로 들린다.
듣는 남자 기분 좀 나쁠 수도 있지만, 거꾸로 남성들도 비슷한 말들을 한다. 적절하지는 않지만, 말하자면 영화나 드라마가 아니라 사람들이 사는 동네, 연애 시장에 나온 상품은 '다 거기서 거기고, 특별한 건 없다'는 말이다.

정치를 하겠다고 마음먹으면서 '다 그 놈이 그 놈인 정치인은 되지 말자.' 다짐했다. 그 놈이 그 놈인 정치인이라면 정치 소비자의 선택을 받기도 어려울 테고, 선택을 받더라도 별 효용감을 못 드릴게 뻔하기 때문이다.

원외 정치를 시작한지 벌써 1년 반, 시간이 빨리 간다.
다 그 놈이 그 놈인 세계에서 특별하고 다른 놈의 면모나 자세를 보여주기에는 시간이 좀 짧았다고 하자.
지역 민생 현장을 자주 다닌다.

"선거 때만 되면 와서 잘하겠다고 해서 뽑아줘도 뭐 제대로 한 게 있나? 자기 살 길만 찾고 우리 서민을 위해서 한 게 없어."

오래 정체된 사회는 정치 불신이 크다. 정치에 대한 효용감과 정치인에 대한 기대감이 낮은 사회다. 정치하는 놈들은 '다 그 놈이 그 놈'이라는 생각에 더해서 '다 자기 생각만 하지 서민들 생각 안 한다'는 평가가 팽배해 있다.

스스로 다른 놈이라고 주장하는 것은 민망한 일이고 또별 효과 없는 일이다. 그렇지만 지금 한국 정치는 이전과 다른 놈의 정치를 기다린다. 관록의 n선은 더 이상 자랑이 아니다. 그 n의 크기만큼 국민들의 불신의 크기도크기 때문이다.

정치는 자원의 배분을 통해 공동체의 통합력을 높이고성장을 이루는 일이다. 자원 배분에서 소외된 지역은 성장을 멈춘다. 그러면 문 닫은 공장처럼 모든 것이 녹슬기 시작한다. 주문이 끊기고 생기가 돌지 않는 공장. 기계가 녹슬기 시작하면 사장은 나가서 수주를 해야 하고, 투자를 유치해야 한다.

수주를 하고 투자를 유치하려면 사장은 공장을 돌리겠다는 의지를 가져야 하고 사업의 비전을 제시해야 한다. 의지도 없고 비전도 없다면 사장을 바꿔야 한다.

괜히 공장 안에서 녹슨 기계 부품을 여기 저기 뜯었다 붙였다 해봐야 미래는 없다.

혁신이다. 리더가 혁신의 비전과 프로그램을 갖지 못하면 그 조직, 그 공동체는 정체되고 곧 망한다.

산업 현장에서 많은 기업의 흥망성쇠를 보면서 혁신의 필요성을 절감했다. 한국의 대부분 기업은 글로벌 시장에 노출되어 있고, 생각보다 많은 기업들이 글로벌 플레이어다. 혁신하지 않고 버틸 수 있는 시간은 과거에 비해 훨씬 짧아졌다는 말이다.

첫째는 시스템의 혁신이다. 끊임없이 변화하는 환경에 대응하는 민감한 촉수를 갖고 내부 시스템을 혁신하지 않으면 도태된다. 둘째, 혁신적인 비전이다. 현실적이지만 장기적이고, 상식을 뛰어넘지만 실현가능성을 보여주는 혁신의 비전이 있어야 한다. 셋째, 관계의 혁신이다. 초연결 사회에서 모든 관계는 적대적이면서 동시에 협력적이다. 최대한 협력적 관계를 확대하고 관계의 질을 높여야 한다. 넷째, 수지 관점의 혁신이다. 주주 이익을 넘어 이해관계자 이익으로 관점을 넓혀야 한다. 사회공헌도 주목해야 한다. 기업의 지속가능성을 위해 '함께 간다'는 관점의 혁신이 필요한 시대다.

혁신이다. 기업은 시장에서 살아남기 위해서 혁신한다.

하루라도 늦게 망하려고 부지런히 혁신한다. 끊임없이 성장하고 한 명의 노동자라도 더 고용하는 것이 혁신의 성과다. 부지런한 기업과 노동자를 돕기 위한 정치는 훨씬 더 부지런해야 한다.

멈춰서 녹슬어 버린 고도(古都) 동래의 큰 바퀴를 다시 돌려야 한다. 동래가 곧 부산이던 시절은 오래고, 동래가 부산의 중심이었던 시절도 가물거리는 기억이다. 어릴 때 동래구 해운대에서 놀았던 추억이나, 입학한 대학 주소가 동래구 부산대학교였다는 건 넘어가자. 연제가 연제구로 되고 행정 중심이 된 사실도 묻지 말자. 그런데 동래구에는 이제 아무것도 남지 않았다. 날로 번성하는 서부산에서 국제적인 도시 해운대로 넘어가는 길목에 있는 동네, 동래로 남았다. 바다와 산과 관청이 없는 동래에 이제 무엇이 있어야 사람들이 모이고 시장이 성하고 민심이 넉넉해질 것인지는 묻자.

동래의 혁신이다. 함께 번영하기 위한 혁신이다. 혁신의 정치가 필요하다. 그래서 정치를 혁신해야 한다.